はじめに

アイヌ民族文化の花を咲かせたいと願い続けて40年余
アイヌ民族紋様がどこでも見られる街
巷にアイヌ民族の音楽が聞こえる　タㇷ゚カㇻ（踊り）音がする街
アイヌ民族のレストランの香り漂う街
アイヌ民族紋様のファッションが巷に氾濫している街
この国は複数の民族が暮らしている街
先住アイヌ民族の暮らしていたコタンの跡がある街

みんなでフィールドワークしませんか。北海道大学のキャンパスにあります。
先住アイヌ民族がサクシュコトニ川で鮭漁を中心に暮らしていたコタンがありました。
札幌の駅の近くに交易場があり、和製品や山丹製品と交易をしていたアイヌ民族、先住民族アイヌの聖地は、北海道大学にあります。何時の日かこの大学を先住アイヌ民族に、お返しをしてほしいと考えています。

　私は小学校には行けませんでしたが、今は北海道大学の聴講生です。アイヌ民族の歴史の勉強をさせていただいています。多民族が共生する社会を穏やかに築いて行きませんか、と市民の皆さんへ望み続けていますが、遅々たる現状です。
　国連先住民族権利宣言、日本政府は国会決議をしました。アイヌ民族として生きる施策が何もない、ただ時間が流れています。

　08年洞爺湖「サミット」国が行う　若者たちが企画実行したサミット　市民が作る。
「和解と平和国際シンポジュウム」　先住アイヌ民族が誇らかに輝いて帰属するアイヌ民族紋様
儀礼用衣裳を着た日　あんなに嫌いだったアイヌ民族を誇れた違和感のない日
先住民族サミット　若者が燃えた日　自己の意思によって行動した日

　私はアイヌ協会の内部にアイヌ民族紋様の花を微かに咲かせることが出来たと言えるかもしれません。そしてアイヌ民族の刺しゅうを生業にし生きてきて良かったと思います。
　曾祖母ウポポアンフチが残したいくつものチカㇻカㇻペがお手本になって、制作意欲を育ててくださいました。エムㇱアッもカロㇷ゚も和人のタンビもケㇾ（靴）のいろいろもコンチも下紐も袋もモウㇽもウポポアンフチが私たちに伝えてくださったものです。
　尊敬の心を持ってソンノ　シノ　イヤイライケレ（本当に深く御礼申し上げます）。

目 次

●コラム

着物

私の母方の曾祖母は、ウポポアンと言う名前でした。小さい時からウポポ（歌）が好きで覚えが早く、そして記憶力の優れた気丈な人と、コタンでは尊敬されていたフチ（おばあちゃん）でした。チカㇻカㇻペを縫う女性としても、この手はウポポアンの作った着物と直ぐ解かるほど上手に作り、アㇱカイ　アㇱカイと言われ、ご近所からもチカㇻカㇻペを頼まれて縫っていたように聞いています。

アイヌ民族紋様の伝承について、母カタコは、川筋ごとに各家ごとに紋様は違うものだよ、女は母方の紋様を受け継ぐものだよ。従弟同士の紋様の違いは、三石のハポ（お母さん）と当別のハポの紋様が違う。

フチには、6人の娘がいました。母親は6枚の着物を作らなければなりません。娘が嫁ぐとき身に着ける着物、その娘が死んだとき、母の手で作った着物を着て先に逝った母の元へモシㇼホッパするものです。ウポポアンが残したのは、娘に6枚、孫娘に1枚。

曾祖母ウポポアンフチが残したチカㇻカㇻペを模写したのがカパㇻアミㇷ゚紋様の着物です。仕立てた着物に「ふち布」紋様を美しく引き立てるため、ふち布のバランスが大切ですので、交易で得た大切な布をフチ（おばあちゃん）達は使い、配色の美しいコントラストがとても良く表現され、命ある生き物にも見えて、見るものに感動を与えるものでした。同じ紋様を模写するにしても、人によって、全く別の着物ができあがります。フチは、そのときそのときに手に入った端布れを使います。ですから娘の着物でも年代によって柄も色もすっかり違ってきます。

母親は、息子の着物もイカㇻカㇻをしていたと思われますが、夫のチカㇻカㇻペは妻が縫ったのでしょうか。私の母は、妻が夫のチカㇻカㇻペを縫ったとは語りませんでした。

国立民族学博物館の佐々木利和氏に伺いました。「これから調べる大切なことだね。」
その後、北海学園大学の藤村先生に同じ質問をしてみました。「妻は夫の儀礼用衣服は当然縫ったと考えます。」
夫の母からの紋様を受け継ぎつつ、そのころの流行の紋様を表現したであろう。夫の着物や息子の着物の紋様は心なしか手も込んでいて、サクリやパラオホによるチンヂリがわが家には残っています。それぞれ個性があって見るものを飽きさせない。

紋様は生きもの　紋様が動く　紋様が笑う　紋様が泣く　紋様が輝く　紋様が座る

私の母カタコは、祖母ウポポアンの縫い方を見て育ちました。紋様はあずましく座るように置くものだよ、裾から上に這わせるものだよ。何度も理解するまで教えました。

「古老への贈り物
お正月とお盆の2回、一人暮らしのフチのところへ、モウㇽ（肌襦袢とお腰）を届けます。このお仕事は子どもの役割です。フチたちは待っていてくれて、ハーパパ　ハーパパと言って喜んで子どもの顔にチョㇷ゚ヌレ（チュウ）をしてくれます。子らは　ほっぺたを拭き拭きチセに戻ります。エカシのテパ（おふんどし）もお届けしました。」

フチは儀礼の時、腰を曲げたままエトゥヌㇷ゚（片口）を持って歩きます。このときのフチの姿に女の色気を感じました。

若い女性の華やいだ美、おばさんの持つ上品に満ちた美、熟女の色気は美にあらず、見るにあまる、手にふれる、萎えて吾あわれなりと釧路の長老山本多助エカシの酔うごとに、若き日を思い出し大声で語り、エヘンとなぜか咳払いする癖がありました。

若いものよ、恋をせよ、喜びもまた君のものだ、アイヌ紋様の美の心は男女の性の交わりにありと語る、エカシとフチがおりました。

アイヌ民族紋様は人の命であり、生きる民族の証しであり、人は向き合って、ウオシッコテ（恋）してウコヌペッネ（喜び合う）と萱野茂氏の言葉、シャクシャインイチャㇽパでのリムセ（踊り）の向き合い、鳥のように、喜びを分かち合う、人は向き合って語り、向き合って生きる。杉村京子さんと萱野茂さんがリㇺセ（踊り）をしてくださいました。京子姉さんはほおを紅潮させて踊り、私はそれをとても美しいと思いました。

アイヌの着物

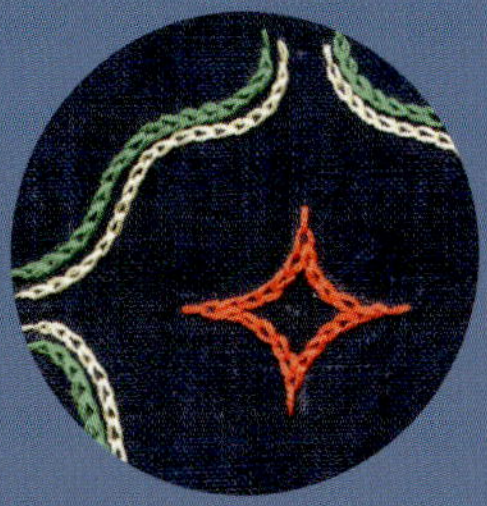

サクリ(黒裂置紋衣)〈うしろ〉

(1982年制作)

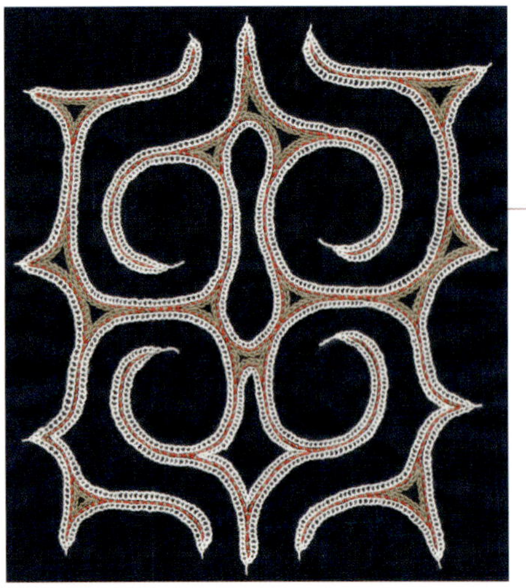

■サクリ(黒裂置紋衣)について

以前はアットゥシで作られていましたが、交易で手に入れた縦縞の木綿布を着物に仕立て、黒地の布を置き(切り伏せ)縫い、赤い糸でイラカリを刺し、周りを木綿の白い糸でパラオホを刺した紋様。手間のかかる紋様を施した着物は主に男性が着ていました。

サクリ（黒裂置紋衣 ）〈前〉

チンヂリ（無切伏刺しゅう衣）〈うしろ〉 ※一般的には「チンチリ」

（1993年制作）

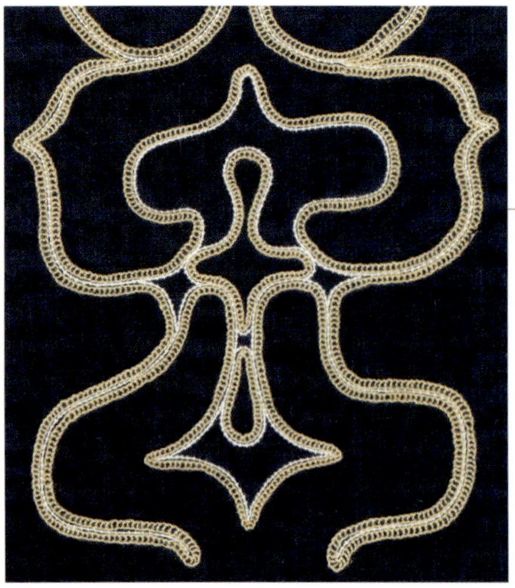

■チンヂリ（静内・三石）について

チカㇻカㇻペ（十勝）・イヨイミ（近文）無切伏刺しゅう衣、濃紺や黒地の木綿布を着物に仕立て切伏を置かないで糸のみで刺しゅうをした着物、交易で得た布を前後身頃4枚の布を表2枚と裏2枚を合わせて縫います。母はこの縫い方をよつ縫いと語っていました。脇縫いも背縫いと同じ。中心が白のイカラリを刺しその両側をバラオホで刺し、糸を引きすぎないよう注意して刺します。この紋様は棘が無い。三石のテッパエカシが着ていた着物の模写です。

チンヂリ（無切伏刺しゅう衣）〈前〉

ルウンペ（色裂置紋衣）晴れ着〈うしろ〉

（1993年制作）

■ルウンペ（色裂置紋衣）について〈女性の晴れ着〉

木綿の生地に、絹や更紗などの切伏（帯状の布を折り、たたみ、曲げる）裂置紋様を施したもの。下書きした絵の上に帯状の絹の布を道ゆくように置き、からみ縫いやイカラリで刺します。

労働で得たサランペ（絹の布）、柄布などをふんだんに使って、色合いよく布の使い分けがされた着物です。

ルウンペ（色裂置紋衣）晴れ着〈うしろ・前〉

（2004年制作）

カパラアミプ（白布切抜紋衣）晴れ着〈前〉

（1990年制作）
撮影／黒木　啓

地布は藍染の交易で入手しました。
広幅な布をクルミの外皮で染めて下絵を描き、紋様として施した着物。

カパラアミプ（白布切抜紋衣）晴れ着〈うしろ〉

撮影／黒木　啓

カパㇻアミㇷ゚（白布切抜紋衣）について

平取、静内・浦河・三石ではチカㇻカㇻペ。明治時代に幅の広い白布木綿が生産され、手に入れやすくなり、作られるようになりました。この着物は幅の広い布を広幅な布に切り抜きした布の縁を折り込みながら、からみ縫いや黒い糸で白い布の真ん中をイラカリで刺し要所要所に「つの」を付けます。

ここでは「つの（とげ）＝オホツリ」（渦の先端）と縁の「からみ縫い」と「オホヤンケ」（十字の8つのとげ）そして黒い糸で白い布の真ん中をイラカリで刺す作業を示します。

樺太アイヌの刺しゅう衣　チキリイミ〈うしろ〉（着丈127㎝×136㎝）

（2003年制作）

■チキリイミについて

1875年千島・樺太から強制連行されてきたアイヌ民族の女性が制作したチキリイミ。江別市対雁に明治9年、移住してきた方が上野源兵衛氏の妻の為に制作した着物。藍染めの布に茶のシルクの布を前広衿・裾・袖口・背面に施し仕立てます。

紋様部は絹糸で全体に紋様を施します。（紋付のような着物）紋様は樺太地方に多く残っている紋様です。仕立てから紋様刺しゅうまで1年かかりました。

樺太アイヌの刺しゅう衣　チキリイミ〈前〉

樺太アイヌの刺しゅう衣〈前〉（着丈130㎝×136㎝）

（2008年制作）

■樺太アイヌの刺しゅう衣について

その昔、極寒の地では動物の皮で着物を仕立てたであろう樺太アイヌの刺しゅうでルウンペ紋様を施し、若い娘たちを美しく飾った晴着に多く見られる紋様。紋様と紋様が手を繋いでいます。手持ちの布で着物を仕立て、紋様を施してみました。

樺太アイヌの刺しゅう衣〈うしろ〉

アットゥシ(樹皮衣)〈うしろ〉 (着丈115㎝×108㎝)

(2004年制作)

■アットゥシ(樹皮衣)について

アットゥシで仕立てた着物。袖は木綿の白布で幅だしをしている紋様は裾・衿周りから前紋様に藍染めの布を施し、かめのぞき色の糸で紋様部を刺しアットゥシ、上前に内ポケットをつけて使いよい工夫がされています。漁場持ちの親方衆が着たとおもわれる広袖アットゥシ衣です。小樽博物館のアットゥシを模写させていただきました(袖幅で木綿布を使い羽織を重ねて装う)。

アットゥシ（樹皮衣）〈前〉

アイヌ民族刺しゅうの刺し方のいろいろ

基本の種類

オホ＝鎖縫い
輪から出した糸と同じ位置のところに針を刺し同じ間隔で刺す。

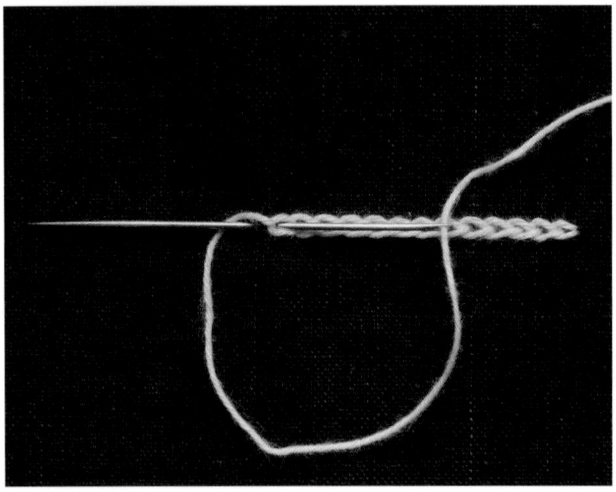

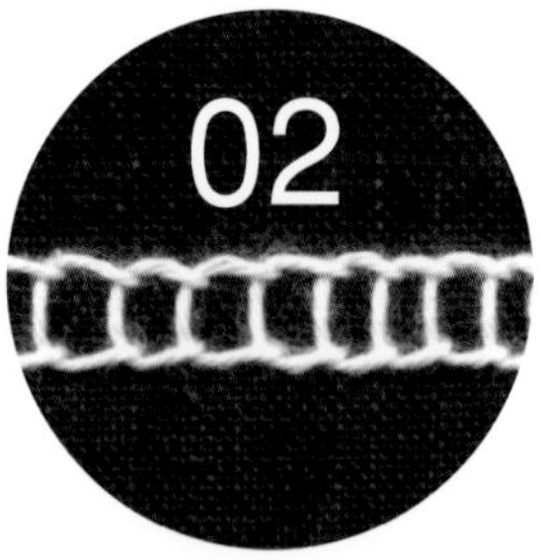

オホ＝パラオホ
鎖縫いの幅広くした縫い方。針先で糸を広げながら形を作り、針を斜めに刺す。

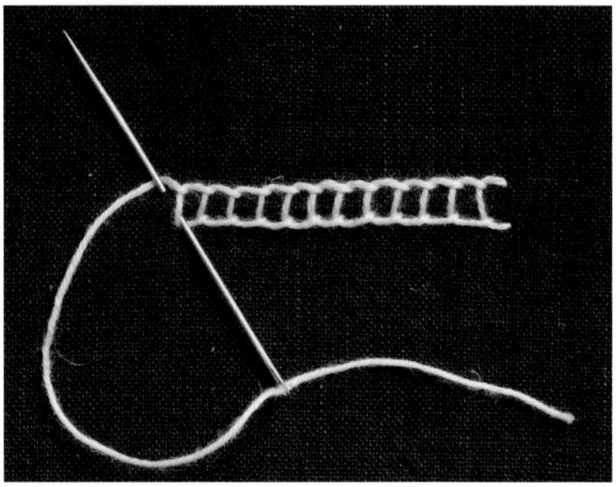

オホ＝チエパレチゥ
鎖縫いで輪から出した糸を伸ばし、鎖と鎖の間隔をあけて刺す。

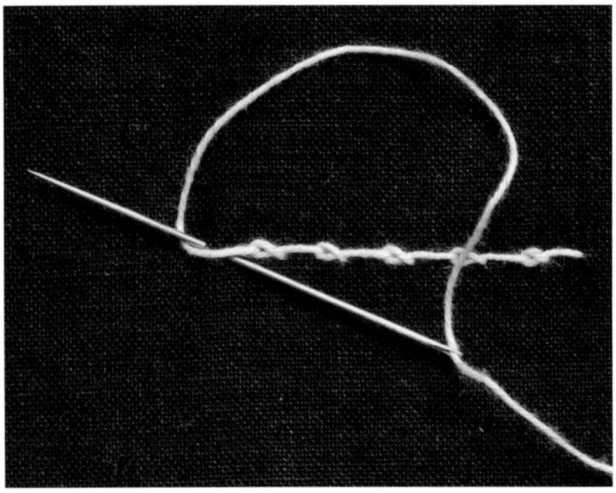

オホ＝チエパレチゥ
輪の端から針を刺して二つの鎖縫いを交互に梯子のように刺す。

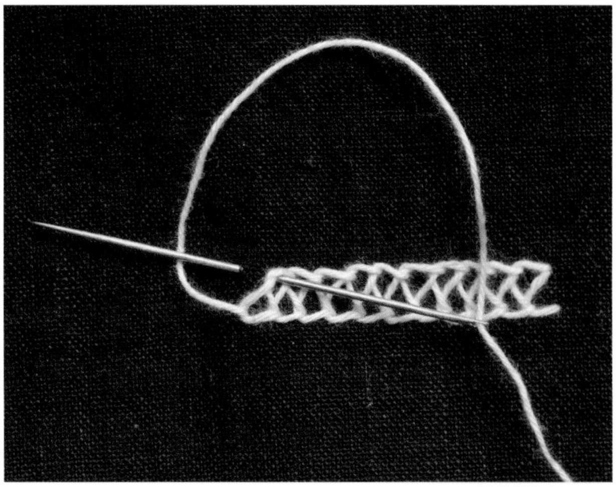

エアラオホル＝片鎖縫い
片方破れた鎖縫い。
ボタンの穴かがり縫い。

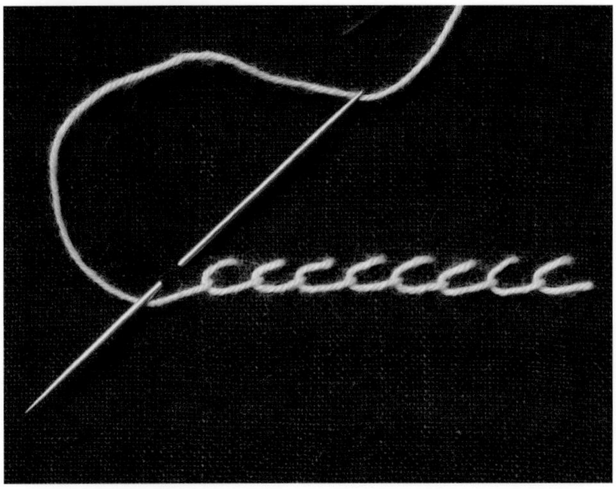

エアラオホル＝羽状縫い
片鎖縫いを両方に入れる刺し方。上から下へ下から上へ、針を斜めに刺す。

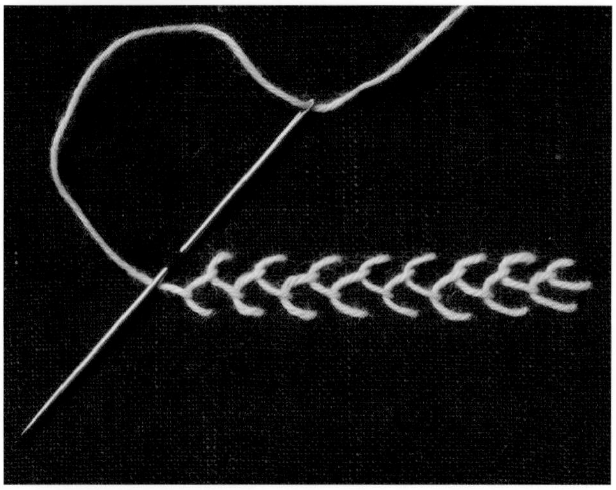

エアラオホル＝羽状縫い
羽のように中心に合わせて左右交互に刺す。
06と同じ刺し方だが、針は中心に合わせて出す。

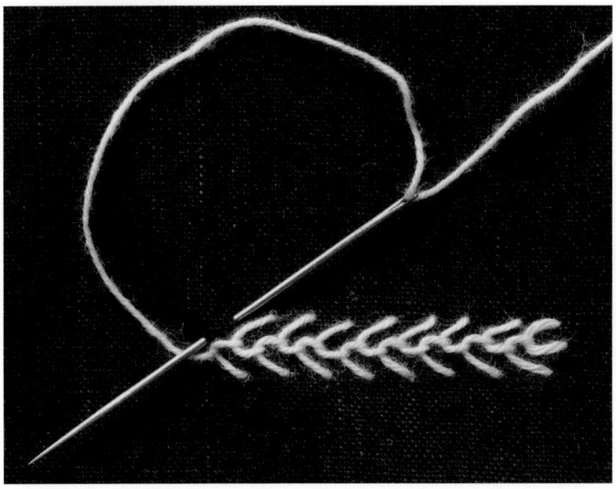

エアラオホル＝羽状縫い
間隔をあけて羽のように中心に合わせて左右交互に刺す。

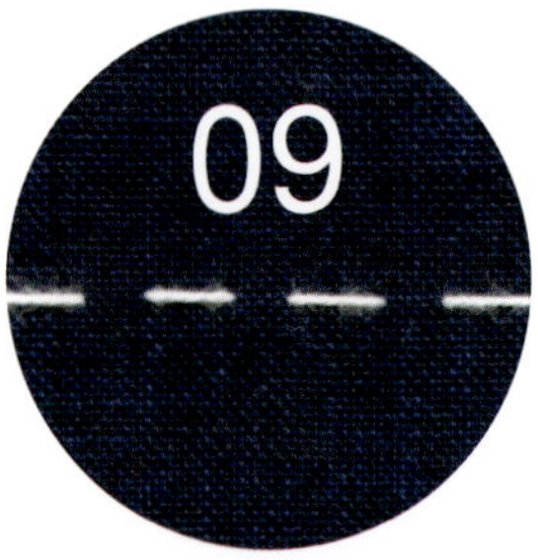

イエシニンニヌ＝並み縫い・運針縫い
「それが一そこに一本当に一消えて一のびる」

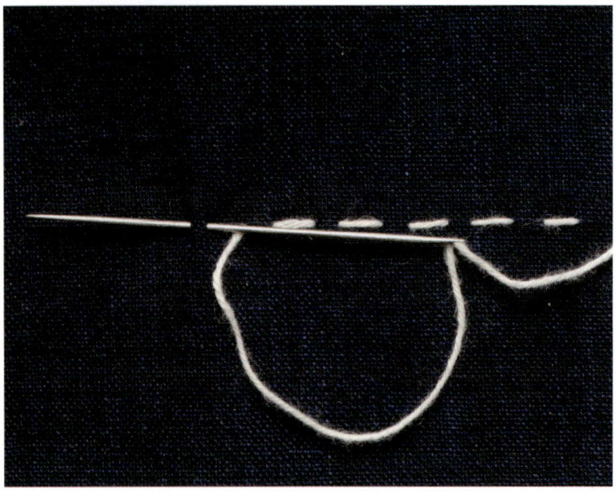

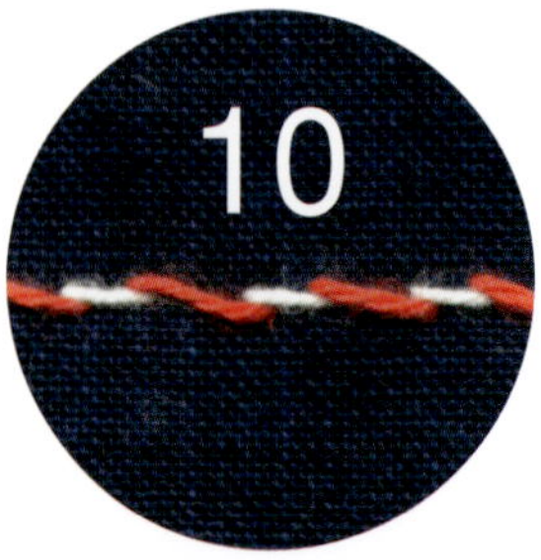

イエシニンニヌ＝並み縫い
チヨㇹオカイイカレ（樺太）＝そこに本当に消えて伸びる
運針縫いの上を別の糸（赤糸）で、布地の出ている所は跨ぐように斜めに刺す。

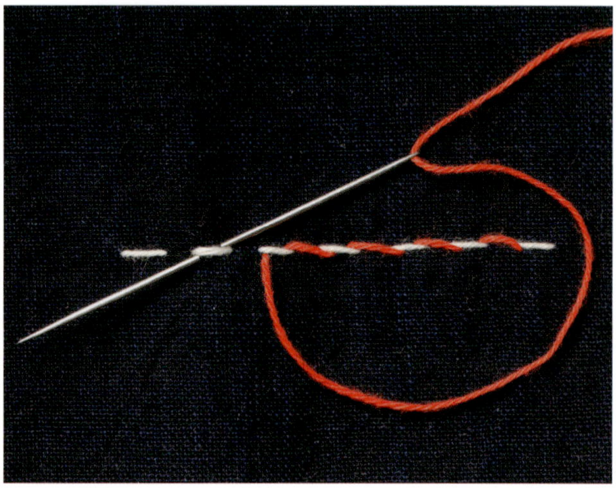

イエシニンニヌ
チエシリコチゥ（樺太）
並み縫い・運針縫いの上を別の糸（赤糸）で、絡んで止めて、布地の出ている所は跨ぐように斜めに刺す。

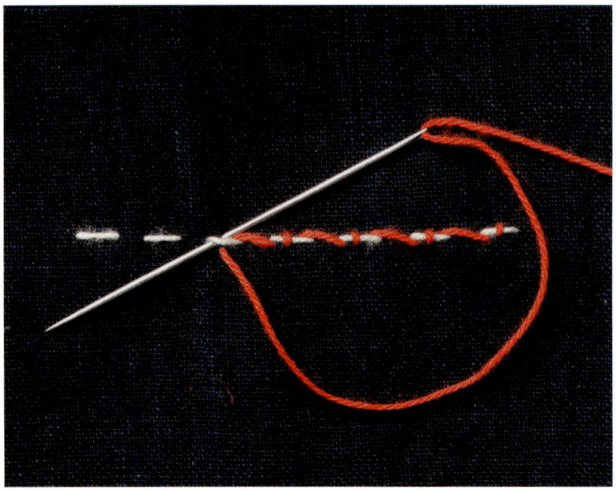

イカラリ＝駒縫い
進行方向に糸を置き、別糸で絡んで刺す。

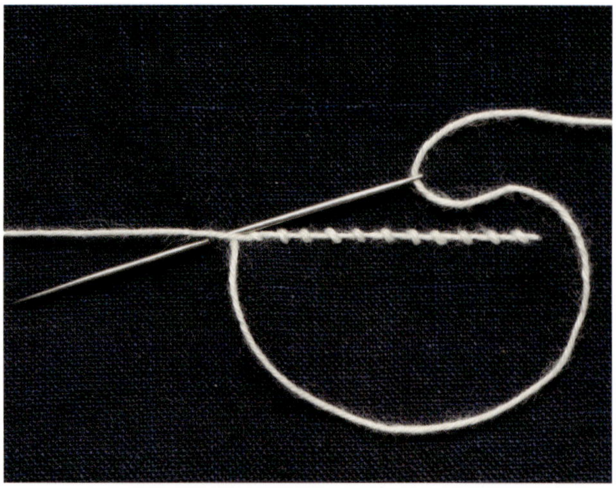

クイクイルウウ（樺太）＝千鳥かがり（引き掛け縫い）

針を上から下へ、下から上へ引っ掛けて刺す。

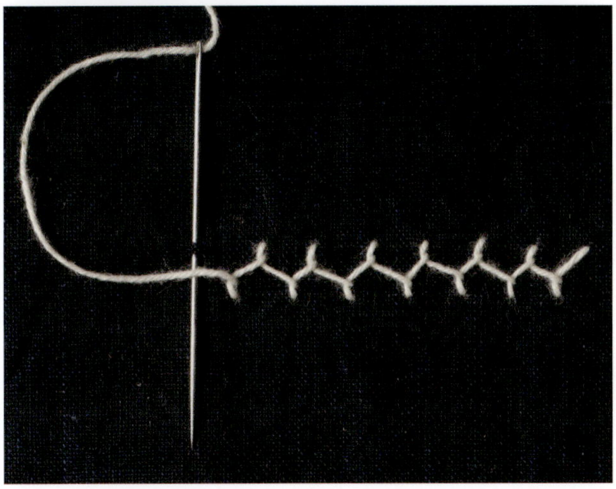

ヤアアシシシキリ（樺太）＝網目紋様

×印に刺す。

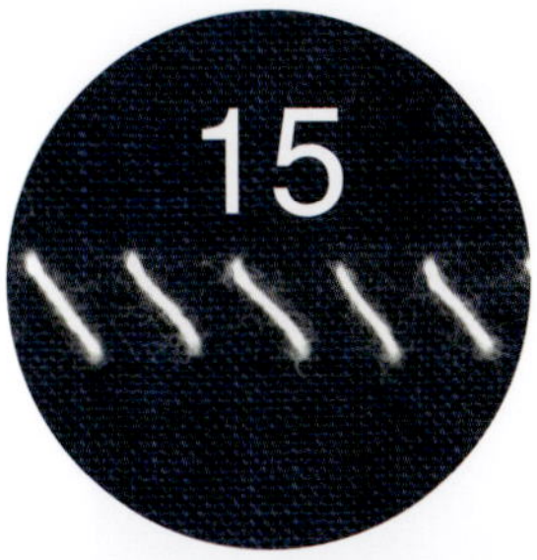

ホルカケムアシ＝返し縫い

返し針が立つ刺し方。間隔を置いて行儀良く針足がそろう。

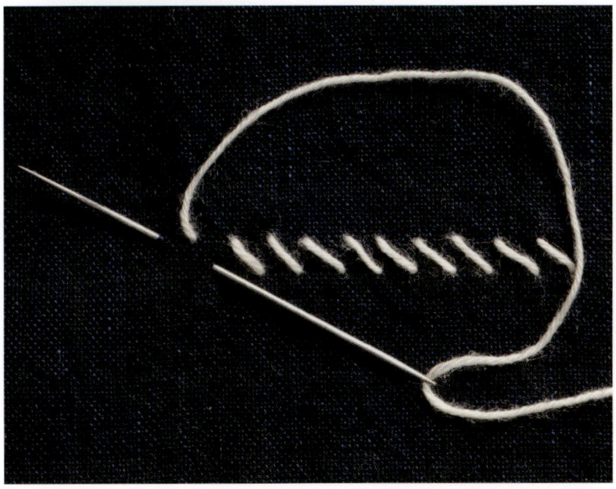

糸巻き（スライド式の針入れ付き）

〈北海道開拓記念館蔵〉

アイヌ民族刺しゅうの刺し方のいろいろ

紋様例［1］

モレウエトコ

モレウエトコ（渦巻紋一先）を左右に交差させて置いた紋様。蕾の中に別な色でチエパレチゥ（P020の04）を刺す。

オホエヤㇷ゚テ

中心にシク（目）を入れた紋様。絹糸で縫い取りを恰好良くする。

ハート型紋

4つのハートを組み合わせる。アイヌ民族紋様の中でよく表現している紋様。

チンヂリ

無切伏刺しゅう衣。糸のみで刺した着物の中にある紋様。

アパポエプイシリキ

オホ＝鎖縫い＝花の芽状の紋様を、少し形を変え、中にチカエヨㇹパレ（鳥それに沢山引掛けさせる）を飾った紋様。

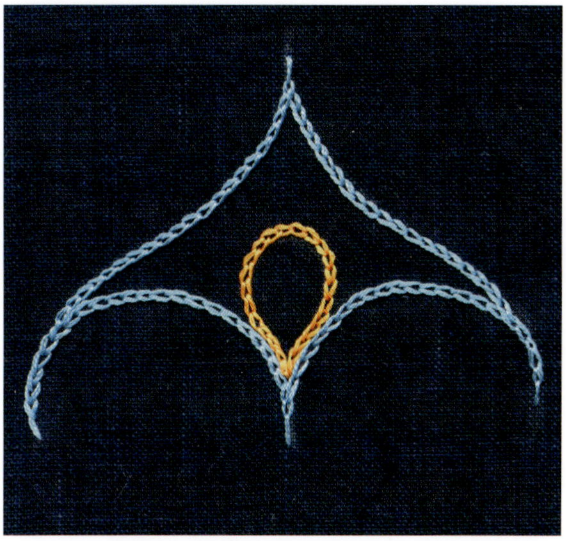

ルー・ウトゥルーセㇱケ

路の間を閉ざす。

アイウㇱモレウ

棘のある、渦巻き紋を左右対称に置いた紋様。

シㇰウレンモレウシリキ

目が両方にある、渦巻紋に左右対称に棘を上下に置いた紋様。

モレウ

渦巻状の紋様と、ハート形を組み合わせた紋様。よく使われるアイヌ紋様。

アイウㇱ

釣鐘形紋を4つ組み合わせた紋様。

釣鐘形の紋様を一筆書きのようにつなげてテッパ紋を入れた紋様。土肥カッレカ（三石町シクマカ＝三石のおば）。

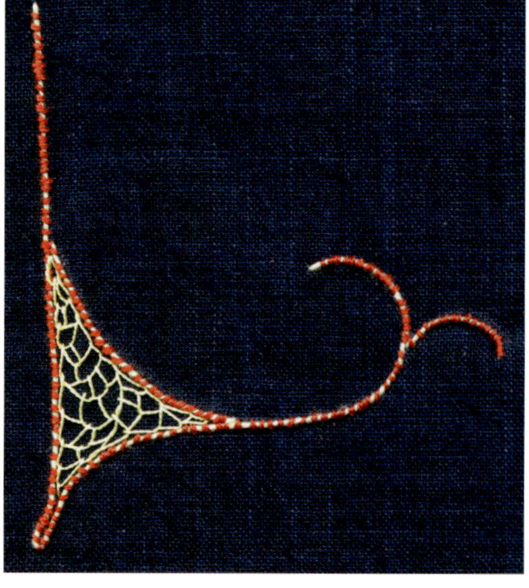

プンカㇽシリキ

つる状の紋様。イカラリで刺し、ネット状（チエパレチゥ）の刺しゅうをした紋様。

アイウㇱ（アユㇱ）シリキ

衣服に多く使われる基本となる、神の棘がついていている紋様。

アイヌ民族刺しゅうの刺し方のいろいろ

紋様例［2］

布を切りながら端を内側に折り込み、からみ縫いをする。

アイウㇱモレウシリキ

神の棘がある渦巻状の紋様。

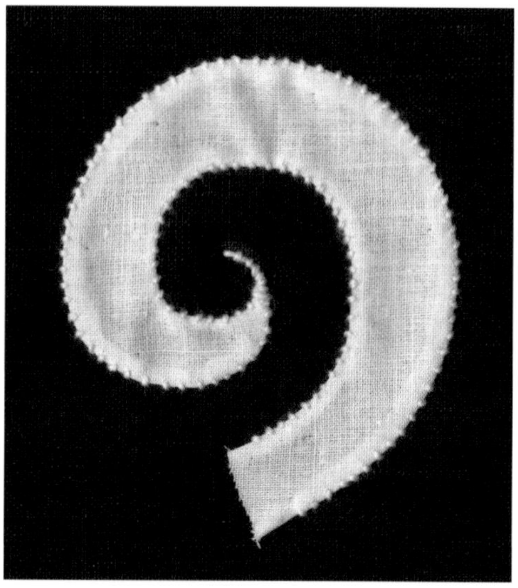

エアㇻモレウシリキ

片方の渦巻状の紋様。先端に棘がある。

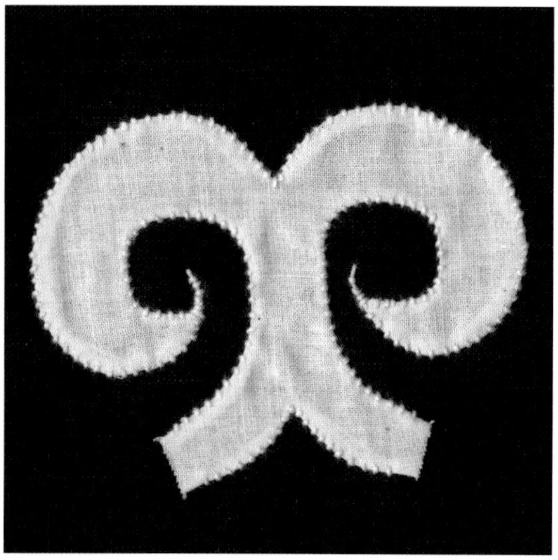

ウレンモレウシリキ

両方が渦巻き状の紋様。先端に棘がある。

シㇰシリキ

目の紋様。

テープ状の布を折りたたみ、からみ縫いをする。

ウタサシリキ

帯状の布の端を内側に折り込み、からみ縫いをしながらお互いに交差する紋様（十字紋）。

ウタサシリキ

帯状の布を折りたたみ、からみ縫いをする。

ウタサシリキ

交差する紋様（十文字）にオホヤンケ（＝つの突起）を出した紋様。

ウタサシリキ

帯状の布を折りたたみ、からみ縫いをする。オホヤンケ（＝つの突起）を出した紋様。

●コラム

アイヌ民族自立の運動

1972年「第1回全国アイヌを語る会」を札幌市で開催しました。

相互宅建の川村社長が、「俺はアイヌに育てられたのだ」と50万円のお金を出してスポンサーになってくださいました。代表は彫刻家の砂沢ビッキでした。

観光地におけるアイヌ民族が、熊、湖、バター、ジャガイモと一緒に観光資源として扱われることに怒りを訴える若者がいました。

また、ハシリにも思われるアイヌ民族年金の必要性が訴えられる。教育の向上や、旧土人共有財産返還についても熱っぽく語る人たちがいました。

観光地で侵され続けてきた人権を回復しようとする動きは、やはり踏みにじられてきた伝統的技術の復興、衣服制作の先祖返り、伝統色の再現を促しました。このようにして、一時期ではあるが、アイヌ民族自立運動が高揚しました。

全国アイヌを語る会として北海道中央メーデーにも三年参加しました。アイヌ民芸品企業組合も設立されました。ビッキを中心にしたアイヌ民族として闘った日々は短かったけれど、そして辛かったけれど忘れがたいものがあります。

1977年12月12日アイヌ協会札幌支部が結成され、1979年12月札幌市生活館が建設されました。札幌市在住のアイヌ民族実態調査も行い、芋づる式にたくさんのアイヌに出会いました。会員はどんどん増えていきました。都市型アイヌ対策を板垣市長に訴えました。生活要求と共に、住宅条例制定や、アイヌ民族子女対象の奨学資金適用除外の廃止を実現させました。

1981年北海道アイヌ協会本部の葛野守市事務局長の指導で、戦後失業対策事業の一つであった機動訓練の〔織布科〕が組み込まれました。アイヌ民族のアットゥシ織りや伝統刺しゅうの技術指導者には三上マリ子先生にご協力をいただきました。

私はフチ（おばあちゃん）たちのところへ刺しゅうの刺し方、裁ち方について、聞き取りに伺いました。浦河町に住む浦川タレフチ、母浦川カタコ、静内町の織田ステノフチ、苫小牧市の砂沢クラフチ、千歳市の白沢ナベフチから、イカラカラの伝承を受け継がせていただきました。アイヌ民族刺しゅうを生業にして40年余り、アイヌ民族刺しゅうに魅せられて、紋様の動き、生きて語りかける紋様にも人格があり、命にも似た心に迫る紋様の多様さと刺しゅうの技術や技の多さに、手間や時間をかけて制作することを教えられました。

アイヌ民族の成人男性が着る着物の技と美、曾祖母たちが刺したチカラカラペの見事さに私は魅了されました。

アイヌ紋様（着物）
刺し方いろいろ

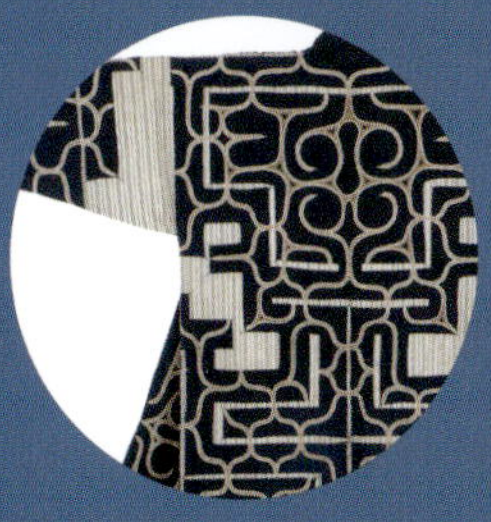

サクリの縫い方・刺し方

サクリの刺し方手順

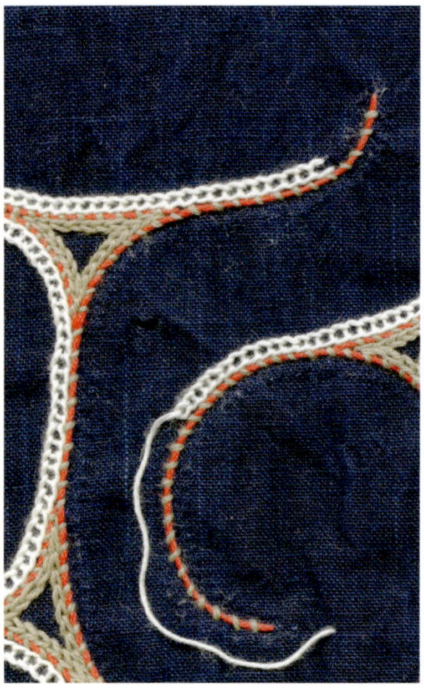

01 下絵にそって赤糸を置き、グリーンの色糸で「イカラリ」を刺す。

02 その両側をパラオホ（幅広く鎖縫い）を刺す。

03 その両側をパラオホ（幅広く鎖縫い）を刺す。

04 ふっくらと糸が浮き上がるように刺す。

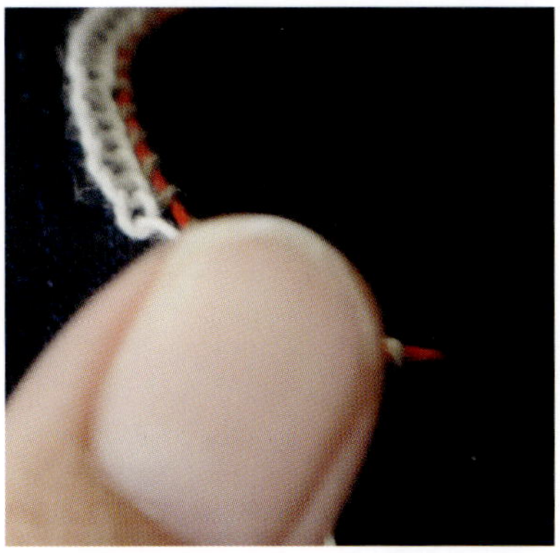

05 糸を引き過ぎないように左親指の腹に糸を置き、糸の上を押さえて引く。

棘《トゲ》を作る

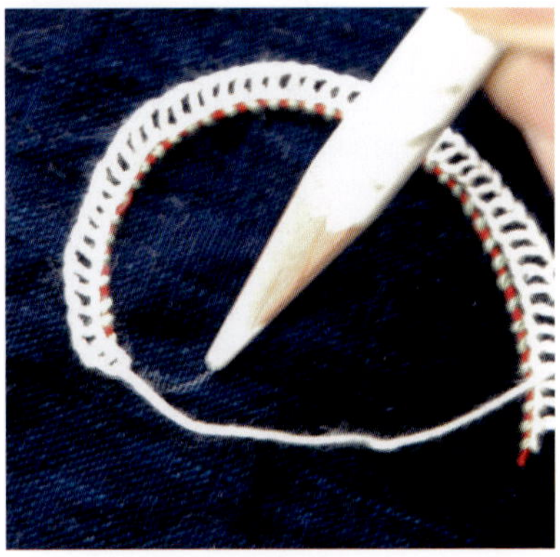

06 棘を作る所にきてから、チャコペンで丁寧に線を描く。

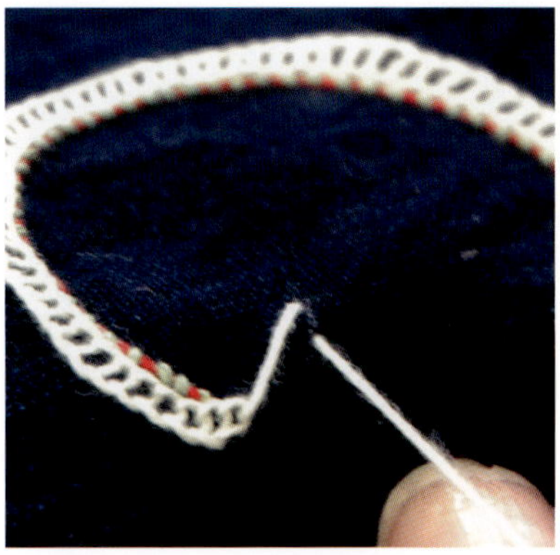

07 棘の先から針を入れ、2㎜位戻った所に針を出す。

08 布に書いた線の上を這うように親指で調節しながらイカラリを刺す。

09 棘の付け根までイカラリを刺し続けて、最後に刺したオホに再び糸を出す。

10 同じオホに針を入れ、内側に出す。

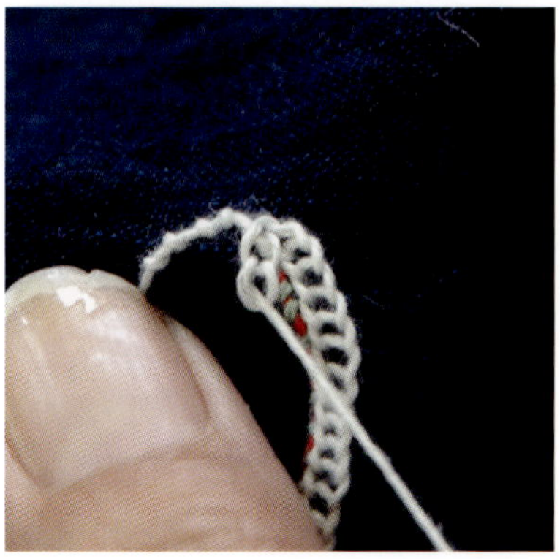

11 逆側と同じようにイカラリに沿ってパラオホを刺す。

チンヂリの刺し方

チンヂリの刺し方手順

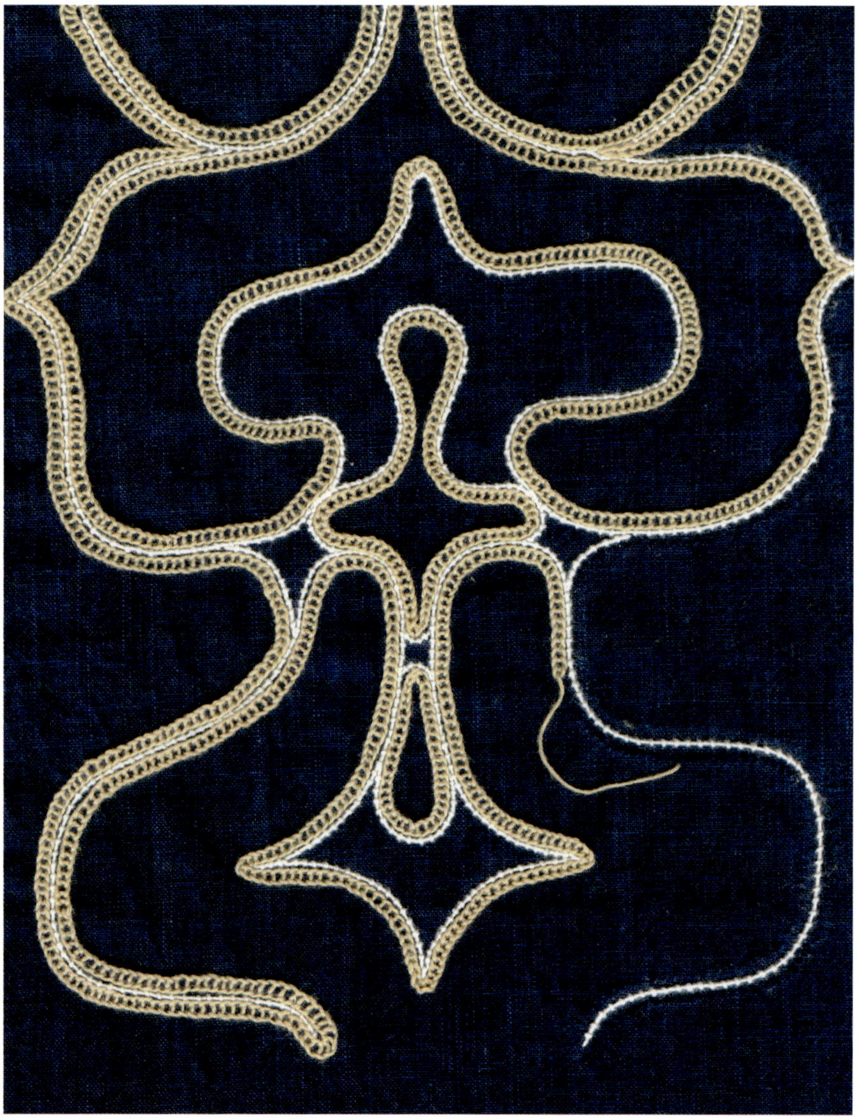

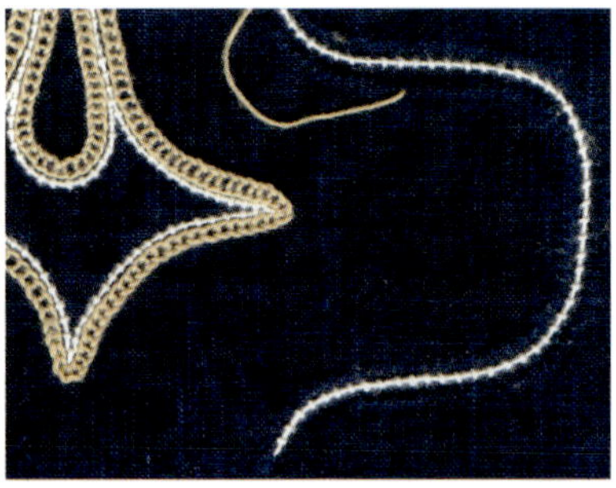

01 下絵にそって白い糸で「イカラリ」を刺す。

02 その両側をパラオホ（幅広く鎖縫い）。

03 その両側をパラオホ（幅広く鎖縫い）を刺す。指を使って糸をひく時に注意する。

04 ふっくらと糸が浮き上がるように刺す。

05 糸を引きすぎないように左親指で糸の上を押さえて糸を引く。

ルウンペ（色裂置紋衣）の刺し方

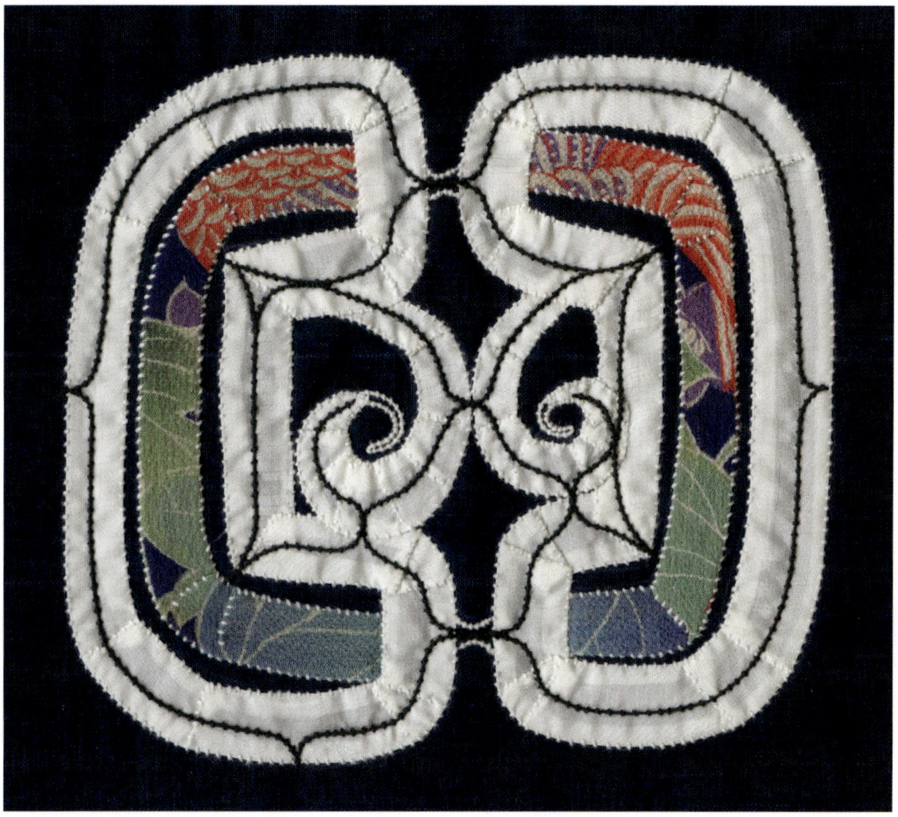

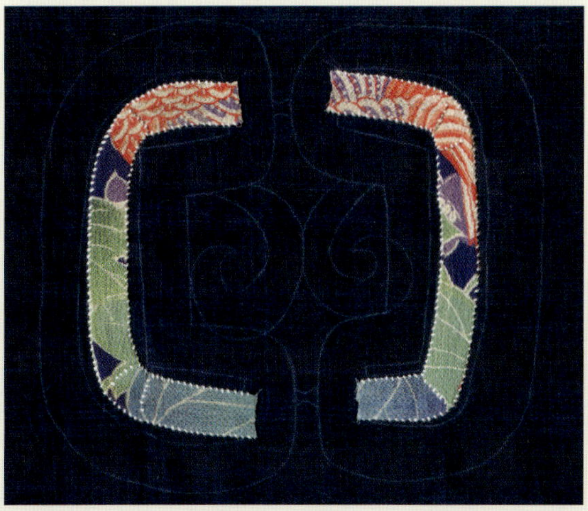

チャコペーパーを使用して下絵を描き、柄絹布をテープ状に裁ち、下絵にそって布を置いて刺す。

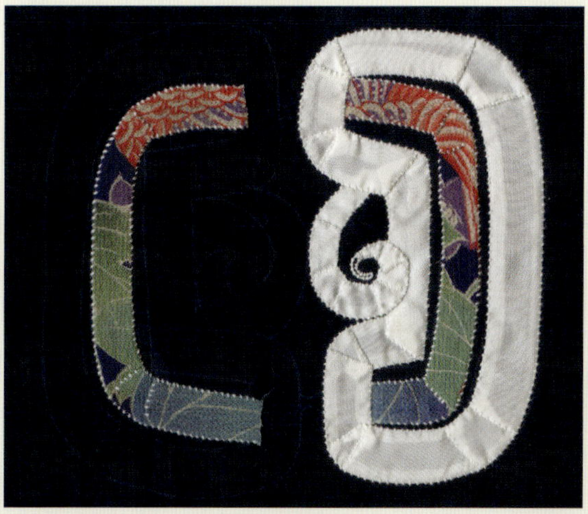

白の絹布をテープ状に裁ち、下絵にそって布を置き、布をたたみ、折り、曲げながら中心部の紋様の重なりにも気をつけて刺す。

ルウンペ（色裂置紋衣）の刺し方

ルウンペの刺し方手順

01 下絵を再度チャコペンで描く。

02 外側をからみ縫いで止め、内側の布をたたみ、折り、曲げながら待ち針で止める。

03 渦巻き状の紋様の作り方は、待ち針を上手に使い縫い針で布をたたみ、折り曲げながら刺す。

04 布の重ね方を見る。たるんだり引き過ぎないように角をたたんで丁寧に刺す。

05 角のたたみ方は紋様の角を作る針先で円形に均等に織り込む。

06 内側から外へ布に優しく刺し続ける。

イカラリの刺し方

イカラリの刺し方手順

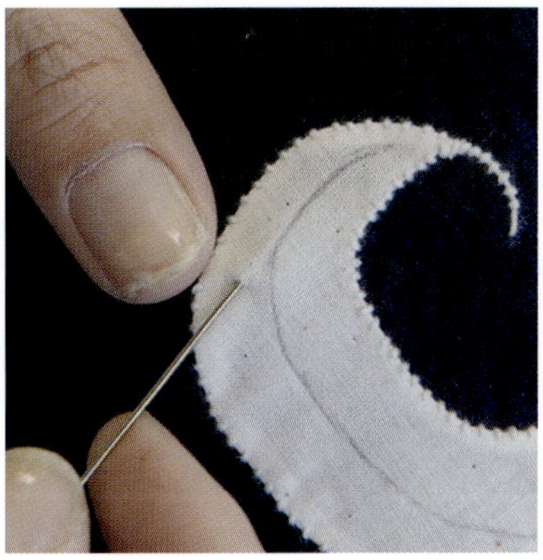

01 チャコペンで布の真ん中に線を描き、這わせる糸を先に進行方向から針を刺す。

02 布と布の中に糸を通して、イカラリを始める線の上に糸を出し、糸の端は布の中に引き込みすぎないで止める。

03 からみ縫いの糸も同じ方向から入れる。01〜08の黒い糸はイカラリを刺し終え布と布の間に入れて糸始末をする。

04 這わせる糸より2〜3㎜位手前に針を出す。

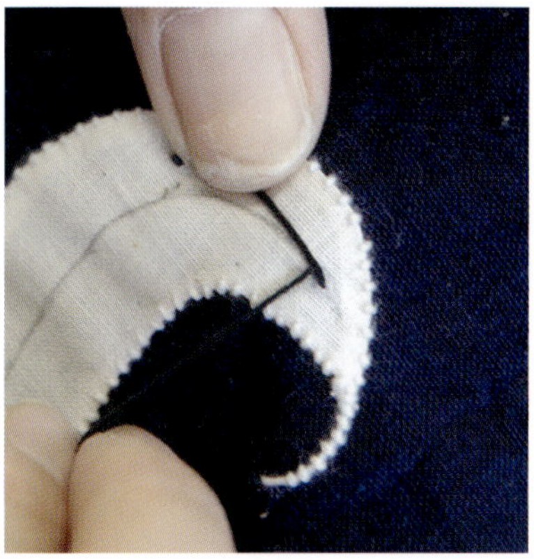

05 這わせる糸は線の上に乗る様に親指で押さえる。

06 這わせる糸の幅より大きくならない様に針を刺し、一定の間隔でからみ縫いをする。ここでは2㎜位の間隔。

07 からみ縫いの糸は強く引きすぎない様にする。

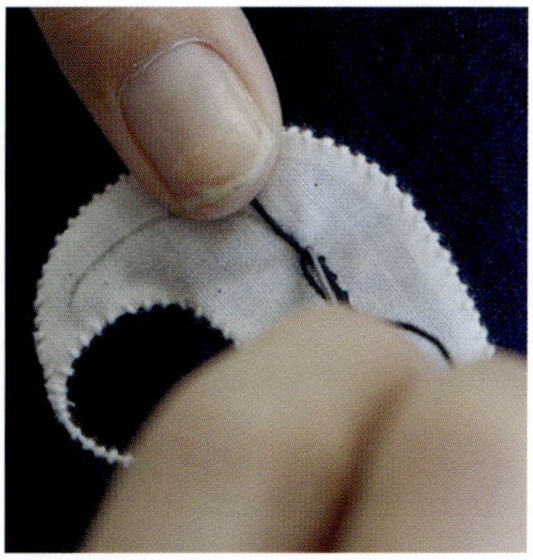

08 からみ縫いの糸の糸つなぎは、はわせる糸を跨いだ針をそのまま裏に落とす。

09 裏返したら糸を出したすぐ横に針を入れ、布の中を通し、縫ってきた方向に返して出す。

10 裏から見ても縫い目がきれいになる様に糸目を揃えて、布の中を通したら糸を残さず切り、糸玉を作らない。

11 糸を変えて、最初と同じ様に進行方向から針を刺し、最後に絡んで止めた糸の2㎜先に出す。

12 布と布の中に糸を通して、イカラリを始める線の上に糸を出す。糸の端は布の中に引き込みすぎないで止める。

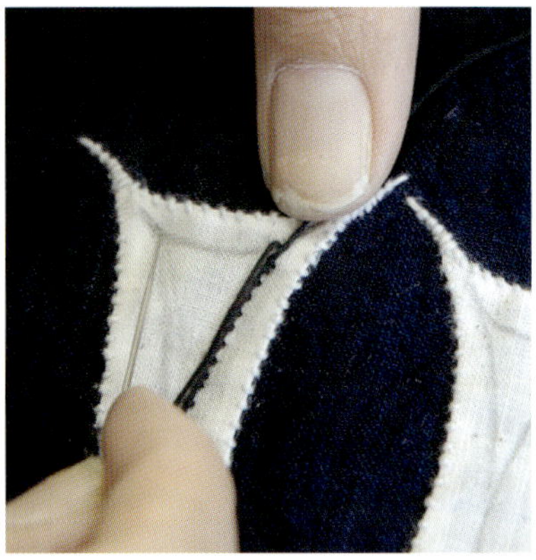

13 とげ（棘）の刺し方は這わせる糸とからみ縫いする糸を下絵の線「とげ」の付け根で交差させる。

14 からみ縫いをする糸一本だけで「とげ」を刺す。

15 とげの下絵の線の端に針を刺し、2㎜位進んだ所から針を出す。

16 交差させた這わせる糸は親指で押さえる。

17 とげの付け根まで同じ間隔でからみ縫いをする。

18 付け根までからみ縫いをしたら、押さえていた這わせる糸に続けてからみ縫いをする。

19 イカラリの線が重なる所は先に縫ってある線の上に這わせる糸を乗せて一緒にからみ縫いをする。

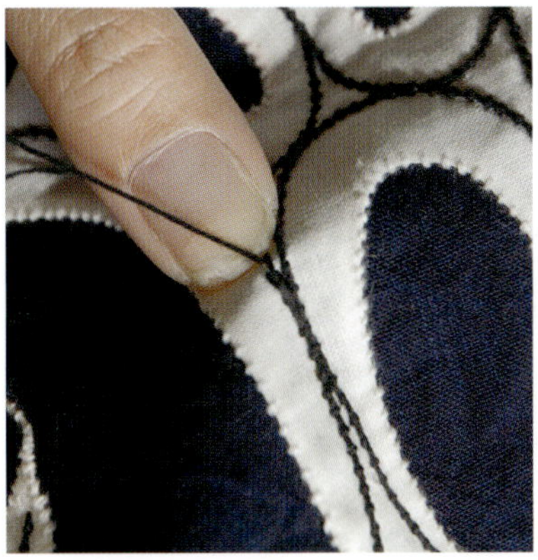

20 下絵の線の通り、からみ縫いをする。

21 先に縫ってあるイラカリに終わる場合は、縫い目がきれいに繋がる様に這わせる糸を添わせて針を裏に落とす。

22 裏に出した糸のすぐ横に針を入れて、布と布の間を通して縫ってきた方向に返して出す。

23 這わせ糸とからみ縫いの糸の糸玉を作らないように裏も糸目をきれいにする。

24 糸の始末は糸の端を残さずハサミで切る。

樺太アイヌ紋様のアットゥシの刺し方〈うしろ〉

撮影／黒木　啓

樺太地方に多く見かける円形の紋様は、その地方に生息する植物を表現していると考えます。円の内側の配色は、樺太地方の伝統に沿った色遣いで、着物の縁布は黒・濃紺の色でアクセントを出し、赤やモスグリーンで縁布を回して刺します。

〈完成した刺しゅう〉

樺太アイヌの紋様をトレーシングペーパーに描き、下絵を作る。

下絵を布に写して、絹糸を使いオホで刺す。
（オホ＝鎖縫い）

樺太アイヌ紋様のアットゥシの刺し方手順

01 紅赤紋様の中に変わり千鳥で刺す。

02 内側の地布に変わり千鳥を刺す。

03 チャコペンで下絵を再度描く。

04 色糸で三段に分け変わり千鳥を刺す。

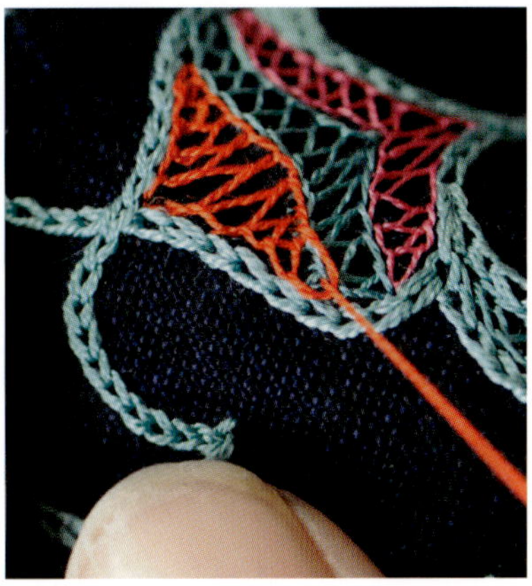

05 紅色糸で変わり千鳥を刺す。

06 半返し、裏から糸を出す。

07 外側の紋様にそって変わり千鳥を刺し続ける。

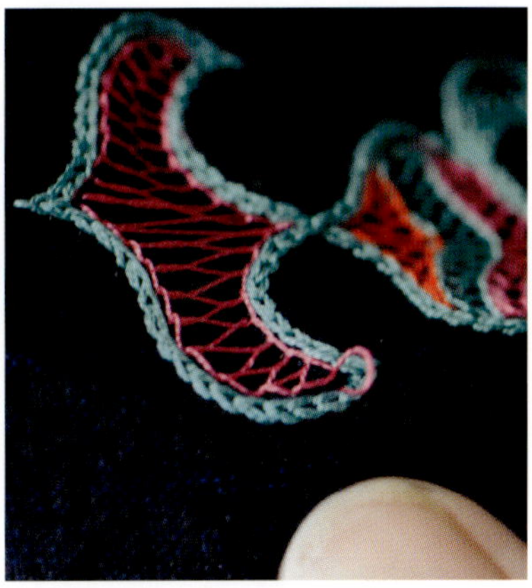

08 変わり千鳥が刺し終えて糸を裏に出し半返しで止める。

カパㇻアミㇷ゚（白布切抜紋衣）の刺し方

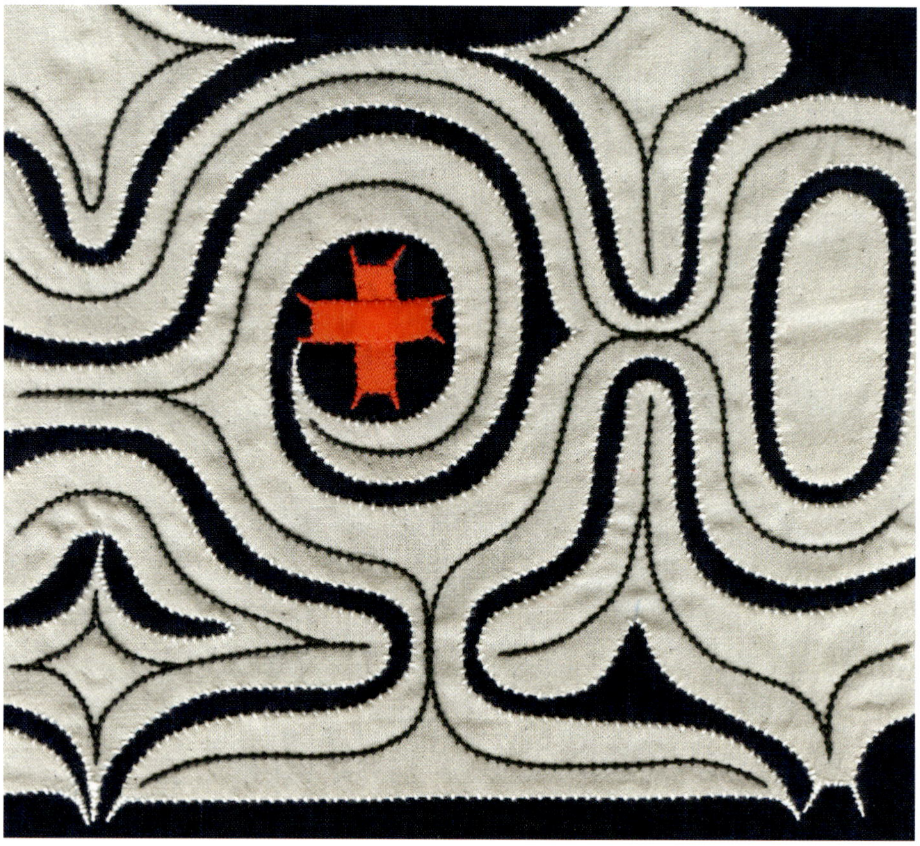

紺色の生地にクルミの外皮で染めた大幅な布に切り抜き紋様をからみ縫いし、「つの」も作ります。黒い糸で白い布の真ん中をイカラリで刺します。

チャコペーパーで布に下絵を写す。

下絵の布を着物に仕付け糸で止め、布を切りながら着物にからみ縫いをする。

「つの」の縫い方手順

01 布の端は針先を使いまとめる。

02 布の真ん中から針を出す。

03 「つの」の先に針を入れ、2㎜位戻った所に出す（つのの長さは7㎜位）。

04 糸がたるまない様にピンと張る。

05 「つの」になる糸をイラカリと同じ要領でからみ縫いをする。

06 針先でまとめた布を巻き込みながらからみ縫いをする。

07 「つの」を付け終わるまでからみ縫いをする。

08 「つの」を付け終わり、布を内側に針先で折り込みながらからみ縫いをする。

からみ縫い&イカラリの刺し方手順

01 針先で縫い代を内側に折り込み、からみ縫いを続ける。

02 等間隔でからみ縫いをする。

03 からみ縫いの糸を引く時は注意して引く。

04 縫い終わったら仕付け糸をハサミで切る。

05 イカラリを刺すために鉛筆で下絵を描く。

06 這わせる糸を進行方向側から布と布の間を通してイカラリを始める線の上に出し、次に絡む糸も同じ様に針を入れて、這わせる糸より2㎜位手前に出す（糸の端は玉を作らず、布の中に閉じこめる）。

07 下絵の上を進むように這わせる糸を親指で押さえながら等間隔でからみ縫いをする。

08 親指でしっかり押さえてからみ縫いを続ける。

ウタサ紋様の縫い方手順

お互いに交差する紋様。
角々に「つの」がある。
もうひとつの呼び方「キラウ」
つののことをいいます(向かい合ったつの)

01 朱の色布を下絵の大きさに切り、用意する。

02 朱の色布を置き待ち針で止める。

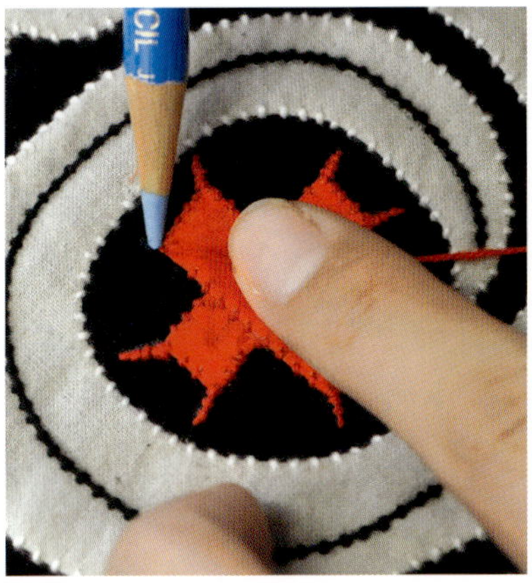

03 チャコペンで「つの」を描く。

04 「つの」を付ける布の角から7㎜位の所から針を入れて「つの」の下糸を作る。

05 下糸にからみ縫いで「つの」を刺す。

06 「つの」を刺し終えて、朱色布をからみ縫いをする。

07 等間隔でからみ縫いを続ける。

08 カパラアミプ紋様の中にウタサ紋様が輝いて、座っている。

かえで紋様の縫い方

（2003年制作）

八雲地方に残る着物
ルウンペ＝色裂置紋衣の紋様を着物から取り出した紋様です。この紋様は魔物から人々を守り、勇気と慈愛を表現し、魔物に打ち勝つ力を与える紋様です。

白い紙に下絵を描く。

下絵をチャコペーパーで白生地の布に描き、黒地の布に仕付け糸で固定して切りながら、からみ縫いとオホツリとオホヤンケを刺す。

かえで紋様の縫い方手順

01 イカラリで押さえる。

02 サンペ（心臓）を入れる所にハサミを入れる。

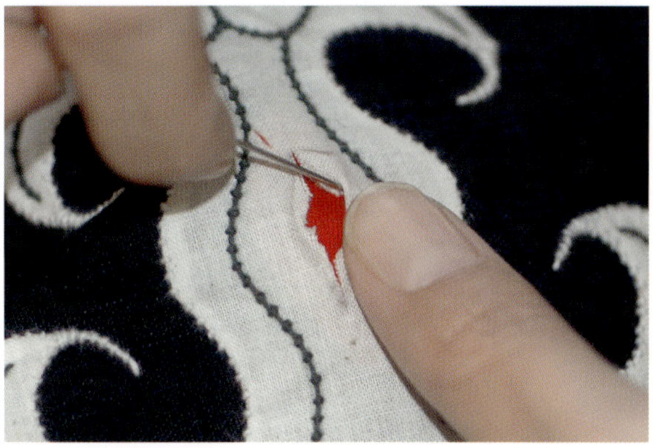

03 楕円形の切り込みを入れ、赤色布を針で入れ、布の端を内側にたたみ入れる。

04 布の端を内側にたたみ入れながら、からみ縫いをする。

05 からみ縫いをし、最後に糸は裏に出して、半返しで止める。

06 サンペ（心臓）のかえで紋様の仕上がり。

オホカラ(鎖縫い)の縫い方手順

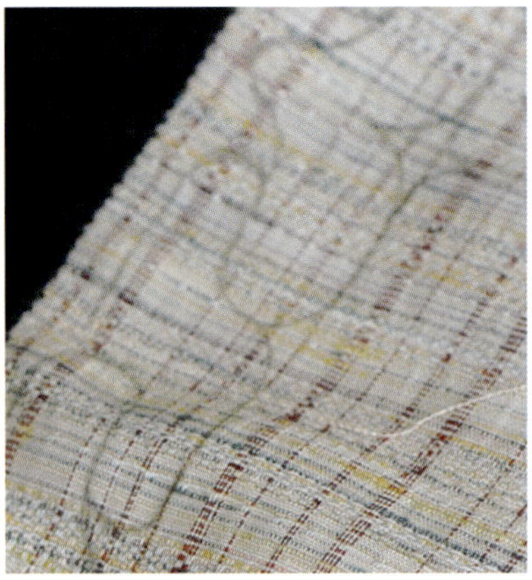

01 チャコペーパーを使用して下絵を裾から描いていく。

02 オホカラ(鎖縫い)で、糸を引くときは前の鎖との大きさに注意しながら糸を引く。

03 下絵にそってオホカラ。

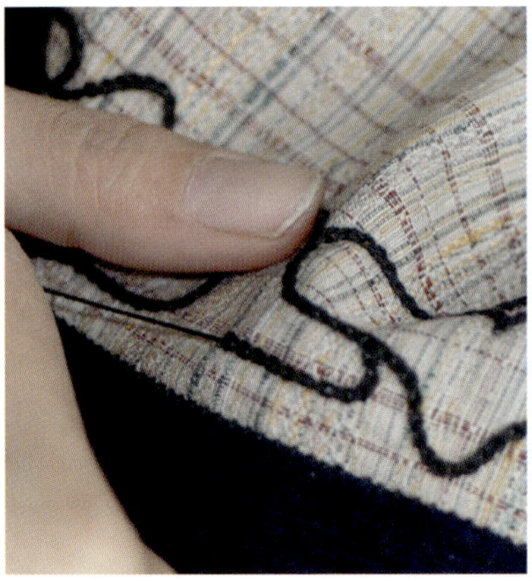

04 糸を強く引かない。

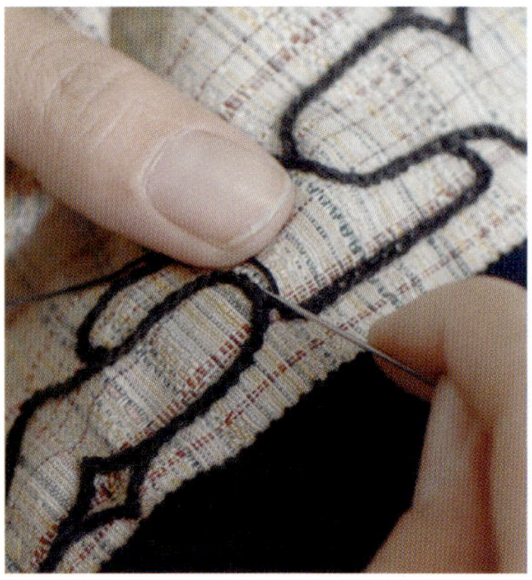

05 きれいに紋様が繋がる様に刺す位置を決める。

06 鎖縫いを刺し終えて針を表から裏に刺す。

07 ウラに出した糸は玉を作らず半返しで止める。

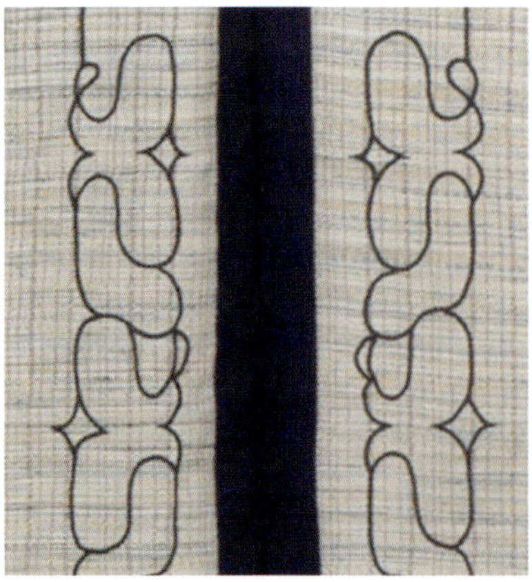

08 これでこの鎖縫いは完成。

「アイヌ女性のテケカㇻペ展」

◆2009年7月22日～7月28日の一週間、大同ギャラリーにて作品展が催されました◆

各地域ごとの儀礼用衣服

現代アートとして室内飾

厚司とToy Toyのトンコリ

バッグと壁飾り

Toy Toyのライブ(トンコリ)

刺しゅうの体験を楽しむ女性

●コラム

タペストリー

ドイツの産業博覧会に招待され、私と妹の作品を展示させていただきました。このときは海外向けに鮮明な輝きを感じさせる配色にしました。絵画のように大切に展示していただきドイツ市民に拍手で励まされました。作品をつくる必要に駆られ、紋様に主張を持たせることにしました。

ソイェンパ・アイ（外へ向く矢）という紋様は、狩猟のときの弓矢を引く緊張を伝えています。シプッパプッパ（胎動）という紋様は、体の中で赤ちゃんが動く様子を表しています。アイヌ紋様は持つ人・飾る人・着る人の身を護る紋様であり、高齢者が道に迷ったとき、目印として導く紋様でもあります。

アイヌ紋様の入った持ち物や衣服を着ている人に出会うと、作者の工夫や表現法の参考になります。タペストリーや額縁で装飾した作品を見ていただきたい反面、制作に関わる人は経費が必要でとても困った時期もありました。タペストリーの紋様の護り神は、左幸子さんの様に「紋様」と会話する人たち。増田礼子さん達のようなかたが良さを理解してくれました。そして、タペストリーの作品制作に励ましを頂きました。作品の種類はこころなしか自然をモチーフに丁寧に模写したものが多くなりました。

紋様の配色やアイヌ紋様のウチャシクマの語り伝え、理解してもらい、購入してくださる人々の顔を浮かべながら、布に一針一針、刺して作品を作ると、美しく仕上がりました。アイヌ紋様は魔物から身を護る役割があり、魔を退ける。神が家の中で存在感を示す工夫が必要です。

センカキ（交易で得た柄布や絹）を使い、糸もつややかに楽しんで刺します。紋様と紋様が手をつなぎ美しく、自己表現します。

アイヌ民族のオペレ（少女）の躾　縫い物のさせ方

千歳地方で語られているユカㇻの一節でアイヌ民族の
母親の子育て（縫い物のさせ方）を紹介します。

私の奥さんは…
子どもを身ごもって…
お腹が大きくなりました…
ある年子どもを産んで…
私の半分がさかれたみたいになり…
男の子を産んだので…
私たちは一生懸命かわいがっていました…
それから　男の子も産み女の子も妻が産んだので…
少し大きくなった者へは　妻がいろいろな絹の布を…
そばに置き　縫わせると　糸のしごき方がわからないのでみんなしわにして…
妻はそれを見ると　有難や（ヒーオイオイ）と応え
彼女たちが母親に　縫った物を　見せると
上手　上手（アㇱカイ、アㇱカイ）。いつもアㇱカイ　アㇱカイと
いって娘たちを育てました。　白沢ナベフチが語るユカㇻ（ユーカラ）

アイヌ紋様

輝くモレウ （110㎝×160㎝）

かとうまちこ（1999年制作）

紙に下絵を描く。

チャコペーパーで布に写して、紋様の中心から縫い始める。外側に紋様を座り心地よく置いて刺していく。

ルウンペ=色裂置紋衣

木綿の生地に絹や更紗などの切伏（帯状の布を折り、たたみ、曲げる）裂置紋様。からみ縫いで刺し、黒い糸で白い布の真ん中や「つの」をイラカリで刺します。下書きした絵の上にテープ状の絹の布を道行くように置いた紋様。ドイツ産業博覧会に参加のため製作した一品で、ドイツ人向けに色彩を合わせて目立つ紋様に作り上げました。

ルウンペ（色裂置紋衣）の縫い方手順

01 下絵に合わせてテープ状に白や赤と黄色の布を切りそろえる。

02 地布に下絵を描いて、テープ状の布を置き、地布に待ち針で布を止める。

03 渦巻き紋様は布をつぶさないように外側からからみ縫いをする。

04 テープ状の白い絹布を折り、たたみ、曲げる。

05 白い絹布を待ち針で止める。

06 内側の布の縁と、待ち針で止めたところをからみ縫いをする。

■「つの」を刺す

01 折り曲げた布を下絵にそって、余分な布をハサミで切る。オホヤンケ（つのを引き上げる）の準備。

02 渦巻き状の下絵に折り曲げた布を待ち針で止め、からみ縫いをする。

03 オホヤンケ（つのを引き上げる）の準備をする。

04 下絵にそって大きなつのをつける。オホヤンケ（つのを引き上げる）

05 つのは布の端に間を開けて押さえ縫いでもどり、オホヤンケの完成。

06 出来上がりの拡大。

イカラリを刺す

01 縫いつけた紋様に鉛筆で下絵を描き、イラカリを刺す。

02 下絵におき糸を這わせながら等間隔で、イラカリを刺す。

03 刺し糸を裏に出す。

04 刺し糸を裏に出して半返しで止める。

05 糸を玉結びをしないでハサミで切る。

06 出来上がりの拡大。

戦いの紋様

ソイェンパ・アイ
外へ向く矢と二つの弓矢を組み合わせたルウンペの紋様の刺し方で仕上げる。

下絵を紙に描く。

生地にチャコペーパーで下絵を描く。

ソイェンパ・アイの縫い方手順

01 下絵にそってテープ状に切った絹柄布を待ち針で止める。

02 テープ状の絹柄布を下絵に合わせてハサミで切る。

03 テープ状の絹柄布をからみ縫いで刺し続ける。

04 「つの」を作るためにチャコペンで布地に下絵を描く。

05 オホツリで「つの」を付ける。

06 オホツリで「つの」を付ける。

07 オホツリで「つの」を付け終わり、布をからみ縫いして、下絵に沿って布を折りながら、たたみ、曲げながら、からみ縫いをする。

08 布をからみ縫いして、下絵に沿って布を折りながら、たたみ、曲げながら、からみ縫いをする。

エムㇱプサの紋様（「カロㇷ゚」男が山狩りの時に大切な物を入れる袋にも使う）

アイヌ男性が正装の時に身につけるものに「蝦夷太刀」、「飾太刀」、「懸刀」などと呼ばれるエムㇱ（刀）があり、そのエムㇱを背負うために用いる帯。それをエムサハ・エムㇱアッ（刀掛け帯）があり、エムㇱアッの房に左右用いています。

下絵を紙に描く。

エプシサの刺し方手順

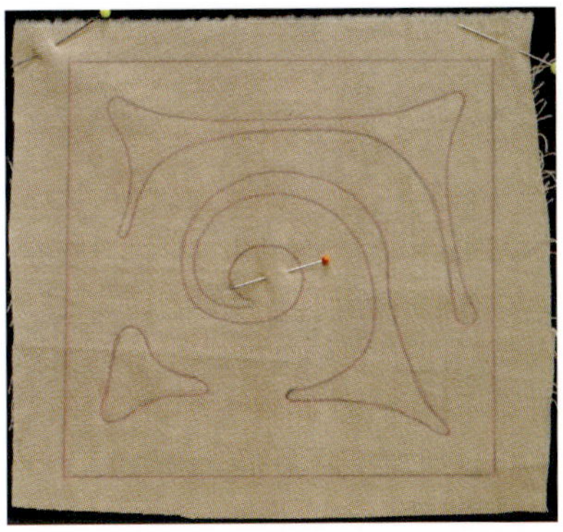

01 下絵をチャコペーパーで布に写す。地布にその布を待ち針で止めて、仕付け糸で止める。

02 外側の布を内側に折りながらからみ縫いをする。

03 下絵に沿ってハサミで切りながら、からみ縫いで刺す。

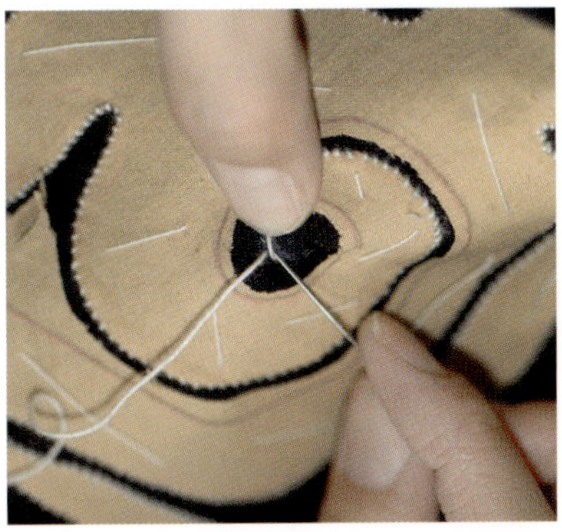

04 つのは、チャコペンで丁寧に描いてから刺す。

05 渦巻きの中心をイカラリで刺し、つのを作る。オホヤンケ（つのを引き上げる）

06 縫い代を3㎜から5㎜ほど残し、裁断をして布を内側に折り込みながら、からみ縫いを続ける。裏に糸を出し、半返しで止める。最後に仕付け糸を取り、オホツリの完成。

カパラアミプ紋様の型紙の作り方

（2007年制作）

完成した型紙

カパㇻアミㇷ゚紋様の型紙の作り方手順

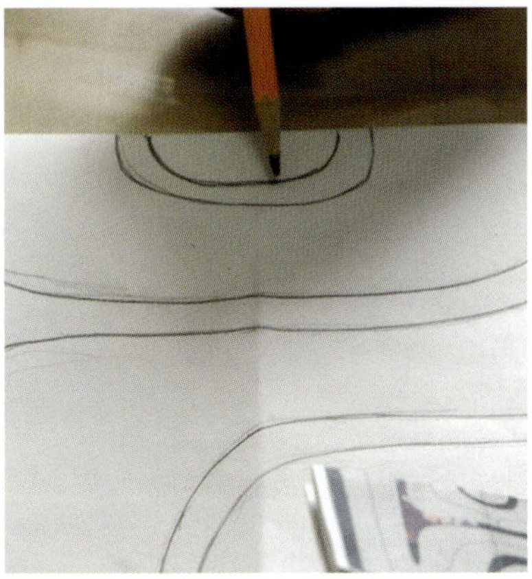

01 紋様が左右対称の時は紙や布を四分の一にたたみ下絵を描く。

02 下絵を描く。

03 下絵の中心にイカラリの線を描く。

04 切伏の布の上にチャコペーパーを置き、その上に型紙を置く。

05 待ち針で動かないように止める。

06 端をそろえる。

07 下絵に沿って紋様を写す。

08 下絵の型紙を除き、写した紋様の薄い所を再度鉛筆で描き直す。

カパラアミプ紋様

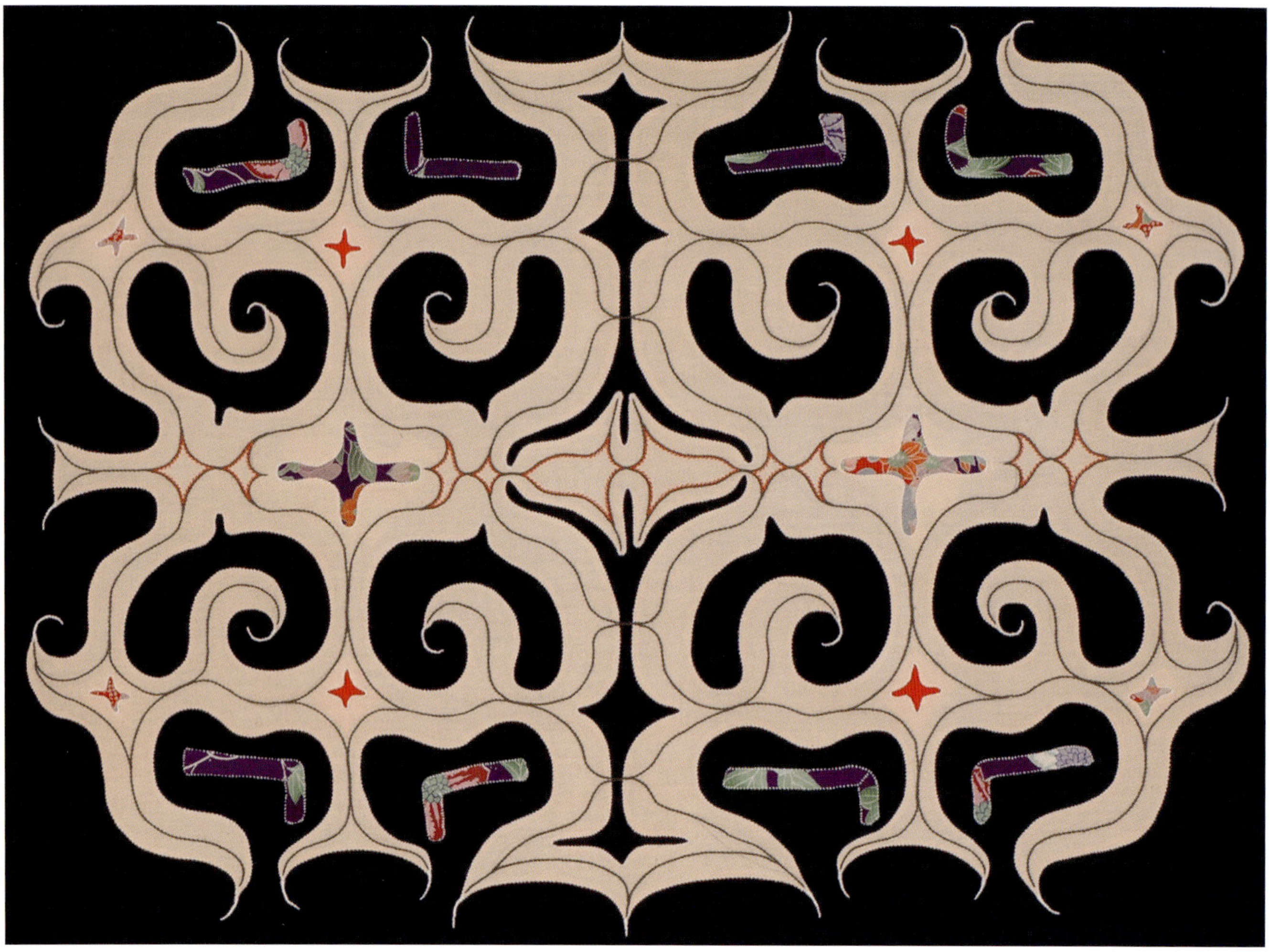

シプッパプッパ「胎動」　（1993年制作）

カパラアミプ紋様です。左右対称の紋様の時は布を四分の一にたたみ、下絵を地布に描き、紋様の下絵に沿って切ります。紋様の中に色縮緬布（いろちりめんぬの）を左右上下に入れて美しく表現する紋様。

カパラアミプ紋様の縫い方手順

01 紙に下絵を描く。

02 切伏の布の上にチャコペーパーを置き、その上に型紙を置く。待ち針で動かないように止め、布に写す。

03 ベースの生地に下絵を描いた布を置く。

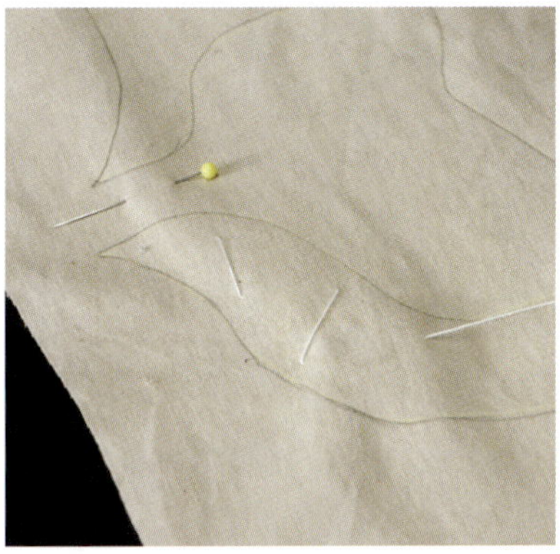

04 待ち針で止めて、仕付け糸で生地と切り伏せの布を止める。

05 縫い代を3㎜から5㎜ほど残し、ハサミで裁断をする。

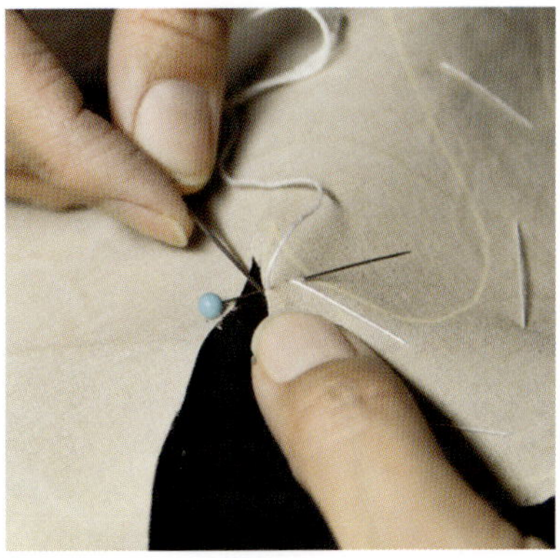

06 布を内側に折り込みながら、からみ縫いを続ける。

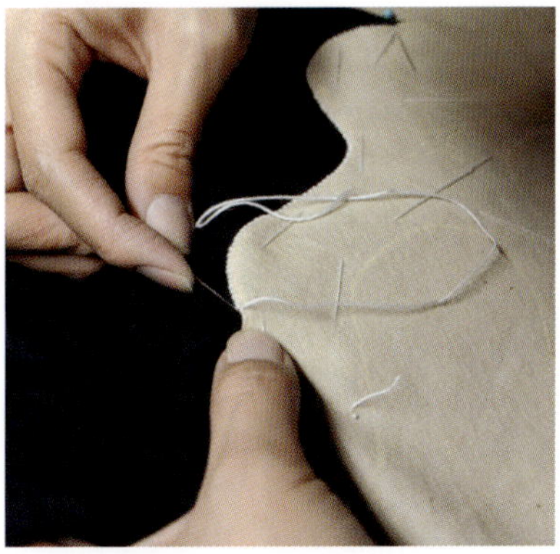

07 外側から布を内側に折り込みながら、からみ縫いを続ける。

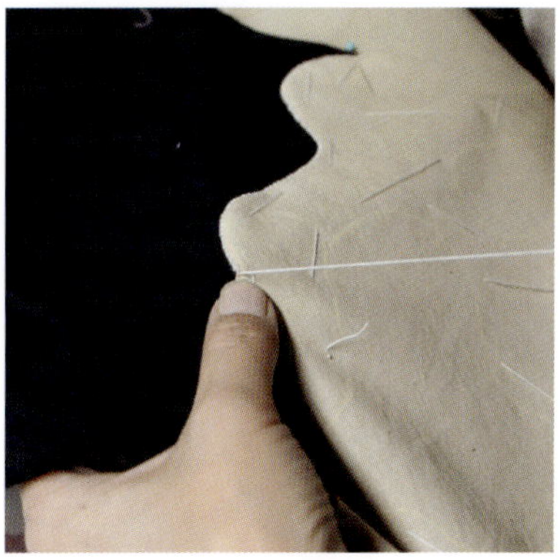

08 からみ縫いを続ける。

■星型の紋様を入れる

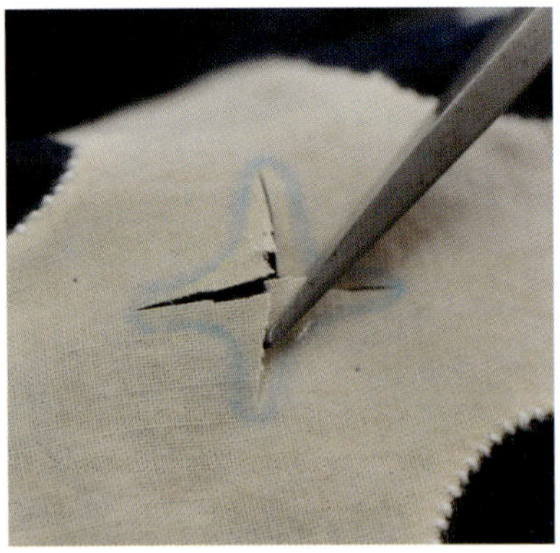

09 中央に赤色の色布を入れるため、ハサミで布を切る。

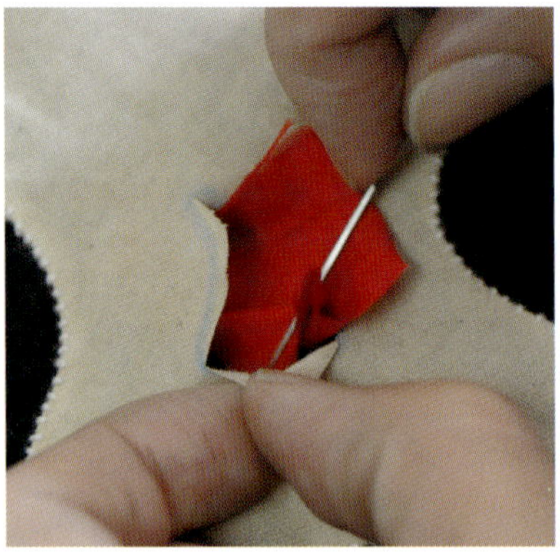

10 針で赤布を切った生地に張り付くように入れる。

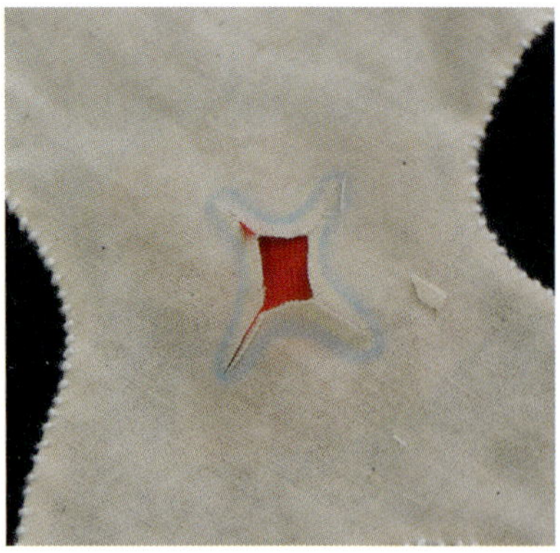

11 赤布と生地が馴染む様に入れる。

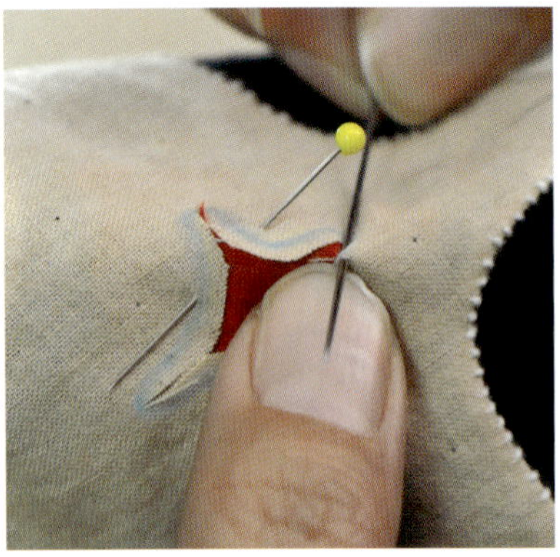

12 待ち針で止めて、布を内側に折り込みながら、からみ縫いを続ける。

13 中心を少し細かくていねいに刺す。

14 からみ縫いを続け、裏に糸を出し、半返しで止める。赤布が入り美しい紋様の出来上がり。

■柄布でタタミ縫いをする

15 地布に絹柄布を置くためにチャコペンで再度下絵を描く。

16 絹柄布切り伏せの布を下絵に置き、たたみ・折り曲げながら位置を決め、下絵に沿って、待ち針で止める。

17 糸の出し方は糸尻を布の間に隠し、からみ縫いを始める。

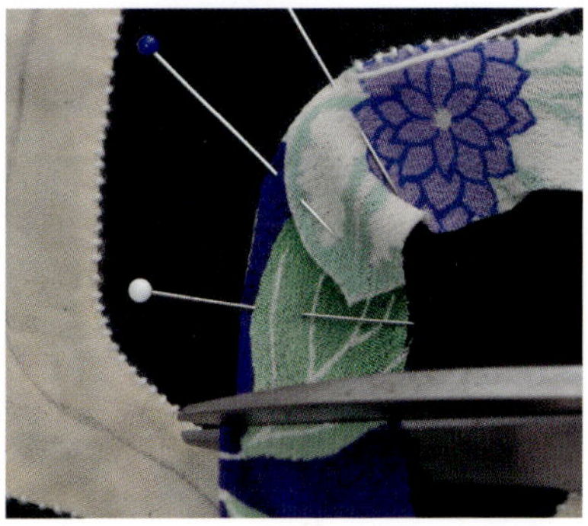

18 外側の布をからみ縫い、内側はタックが取りやすいように布を残し、待ち針で止め、余った布を切る。

19 内側は三角にたたんでも良い。

20 内側を三角にたたみ、からみ縫いをする。紋様の形とオホの違いを覚える。

色糸でイカラリの菱形の内側を刺す

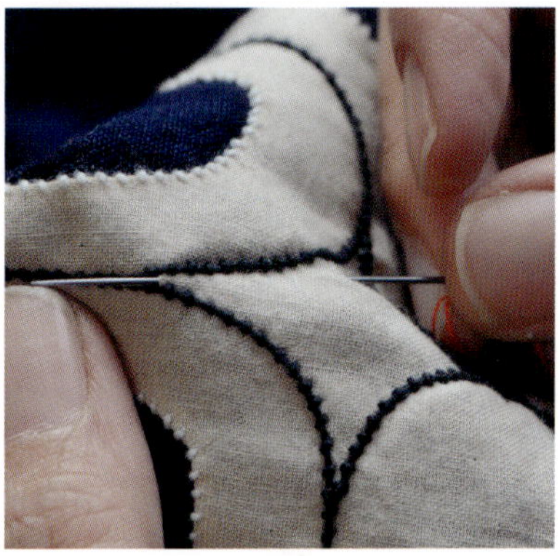

21 菱形の内側に糸玉を作らない様に針を布と布の間に通す。

22 菱形の内側を刺す準備をする。色糸を切り伏せ布と生地の間に右から左に糸を通す。

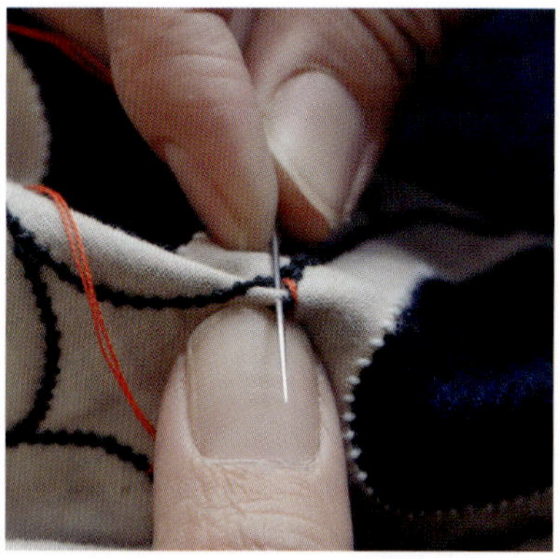

23 菱形の内側を片鎖縫い（エアラオホ）で刺す。

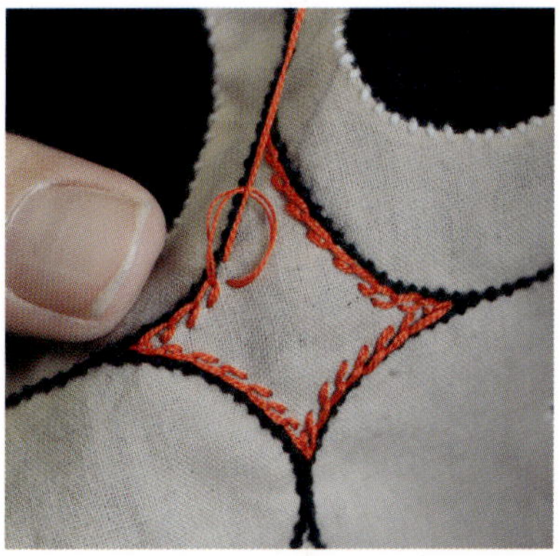

24 片鎖縫い（エアラオホ）の刺し方は柔らかく鳥の羽のように刺す。

25 柔らかく鳥の羽のように刺すため、糸を強く引かない。

26 刺し糸を裏におとし、半返しで止める。

●コラム

アットゥシの思い出

アットゥシ（樹皮衣）は、オヒョウ・ニレの樹皮の内皮をやわらかくなめし、地機織りした布。

ホロケコタンの幌村ミチコン婆の馬小屋になぜかアットゥシの端布れがあったように記憶している。札幌へ移住したころ、子どもと小樽の倉庫で麻袋のようにアットゥシが山積みされたのを見た記憶があり、なぜか懐かしく思いました。

数年後、鮮御殿に行ったときアットゥシに触れてみたら不思議な懐かしさを感じました。アイヌ民族を避けていたのに、二人の子どもがアイヌ差別に悔しがる姿から母の私がアイヌ民族として生きる心を動かしたのが、この三つの場所のアットゥシでした。

二風谷の貝沢ハギフチがアットゥシを夫へとお金もない私に持たせてくれました。そして、夫は各地にあるイチャㇽパ（先祖供養）に着て参加するようになりました。

博物館の資料の中にアットゥシの着物がたくさんあって、制作行程に関心が深まり、やがて作り始めました。時間をかけて10枚以上の模写をさせていただきました。金成マツ媼のユカㇻ（ユーカラ）の一節にありますように、上の竿がしなるほども、下の竿がしなるほども、その上にも着物に紋様をたくさん刺しゅうをして竿に掛けて眺めて喜びました。

カムイ　チキㇼペ	（神々しい刺しゅう衣が）
リクン　カケンチャイ	（上の掛け竿に）
ランケ　カケンチャイ	（下の掛け竿にも）
エエレウェウセ	（その竿がしなるほどに）

特に特別展のために海外から里帰りのアットゥシ紋様の重厚なこと、魔よけの願いと安全と暖かさと丈夫さなど全ての願いが重なるアットゥシは、青森県の稽古館所蔵の紋様と同じものが6枚もありました。もしかして漁場の労働着として船頭が着ていたものか、あるいは水場の労働着として着用されていたのではないかと考えました。その昔、どのようにして木綿布を手に入れたのか?同じ布を各所に使い分けして紋様を表現していることで、同じ人が制作したと考えられます。しかし、すべて別々の博物館に所蔵されています。

樺太で紋様を施したと考えられるアットゥシは、丁寧な紋様の配置に驚きと尊敬の心が動きました。厳寒の地、イラクサ交じりのベースの地布に紋様の配置が、技といえる巧みさを感じるその地域の特長が、表現されています。

北海道の漁場で使われていたアットゥシの汚れから、着ていた人の生活を知りたく、高校生を苫小牧の博物館に連れて行きました。彼は汚れたアットゥシの上にかぶさり臭いをかぎました。これは機械油の汚れだよと臭いをかぎわけました。

アットゥシの袖は広袖、もじり袖、船底袖、元禄袖と、仕事によって使い分けがされています。家族総出のある時期、年間を通して地域産業として生産されていたことに気付きます。

資料を残してくれた祖先や関係者にiyayiraykere（有難うございます）

アハルシ（樹皮衣）の出来るまで

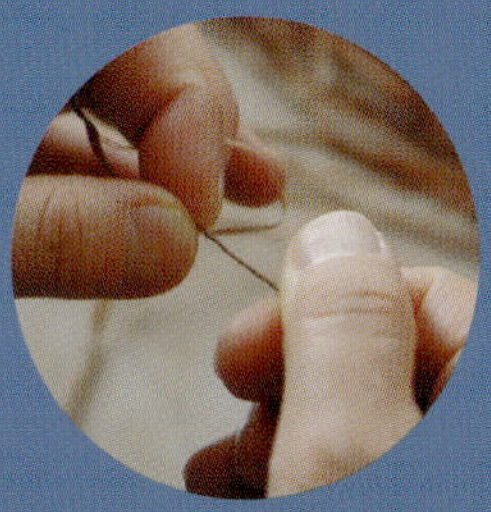

アハルシ（樹皮衣）の出来るまで〈うしろ〉

（2007年制作）

アハルシについて

樺太地方に残る紋様で仕立てられた着物「前」

　オヒョウ、シナノキ、ハルニレなどの木の内皮繊維で織られた着物。樹皮と草皮で織ったアットゥシ（オヒョウ内皮とイラクサの内皮）は場所請負制時代に近世蝦夷産物交易品として生産されていました。

　近世蝦夷産物として会所が買い上げていました。地域によって異なりはあるのですが1000反あまりを春から冬にかけて生産されていました。生業として家族、家ぐるみで生産されていたのではないかと考えられます。ライフワークにしなければ調べられないほどに大量に生産されていました。

旭川市立博物館蔵を複製させていただきました。

採

〈採る〉

オヒョウ・ニレの立ち木を切り倒す。

外かわをはがす（木の神様の着物を頂く）。

はがした皮の外皮を削り落とす。

高温になるまで沸騰させて煮る。

軽い重石がよく、重しを乗せて、3日～4日漬ける。

煮たオヒョウの樹皮を漂白と樹皮につやを出すため米糠をたっぷりまぶして、タクワンのように漬ける。

◆アハルシ（樹皮衣）が出来るまで

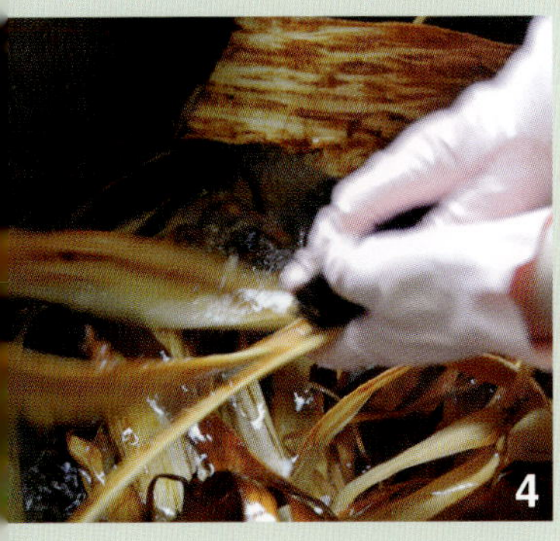

流水で洗う。

4〜5日水につけておく。

オヒョウの樹皮に丁寧に木の灰をまぶし、たっぷりのお湯で4〜5時間煮る。

水にさらして洗う。

水洗いしたオヒョウの樹皮を干す。
〈アイヌ絵：蝦夷生計図説／函館市立図書館蔵〉

〈カエカ(撚りを掛ける)紡ぐ〉

目打ちを使い樹皮を細い糸状に裂く。

2本の糸をカエカする「双糸」なわない。

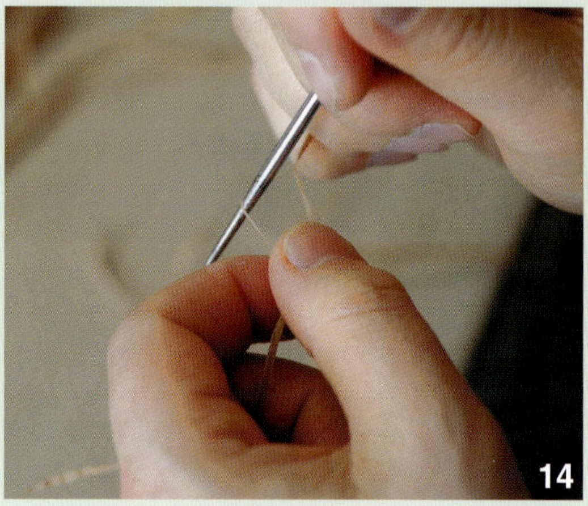

〈アットシトゥリ(糸のばし)〉

ウライニ〈棒杭〉から約9mの長さに設定した場所にウォサ〈筬〉・ペラ〈へら〉・イトゥマムニ〈布巻取棒〉の順番で置き、ひとりが糸玉の端を棒杭に結び、その糸を歩きながら反対側の人に渡す。糸を受け取ったら輪にしてウォサ〈筬〉の目に通す。2本の経糸が一度に通り、上糸と下糸になる。

輪にした状態でペラ〈へら〉(経糸を上下に分離する)にかける。

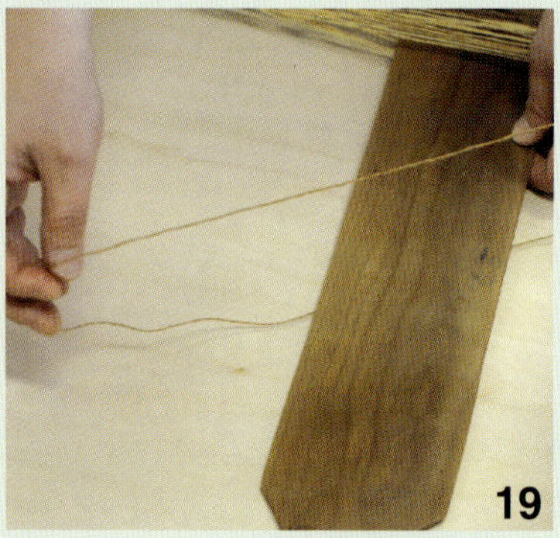

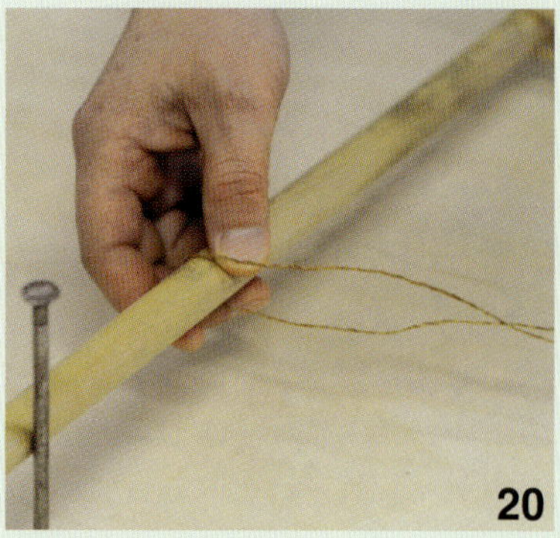

糸をひとひねりしてイトゥマムニ〈布巻取棒〉にかける。

紡

15

16

本を合わせて、絡み合わせる。

17

紡毛機（糸車）で撚りを掛ける。

糸を運ぶ人に糸を渡し、糸玉から糸を引き出しながら、最初に結んだウライニ〈棒杭〉に糸をかける。繰り返し行い、織り幅分の糸を張る。

21

22

ペラ〈へら〉の位置に、カマカㇷ゚〈開口具・上下の位置を分離する道具〉を入れ替え、イトゥマムニ〈布巻取棒〉の向こう側にペラ〈へら〉を差し入れて綿糸を通す。ペラ〈へら〉の上にある糸（織る時の下糸）の左側から1本ずつ順番に綿糸ですくい上げ、左側を固定した2本の棒・ペカウンニ〈綜絖棒〉に八の字を描くように巻き付ける。この時、下糸との間隔は5〜7㎝くらいとする。

下糸の全てを巻き付けたらペカウンニ〈綜絖棒〉に綿糸を数回巻き付け、2本の棒の間に挟み輪ゴムなどで固定する。織る準備が完了。

23

〈織る〉

織

ペカウンニ〈綜絖棒〉を持ち体を前屈みに傾け経糸を緩め、ペラ〈へら〉で経糸を軽く叩き上糸と下糸を離し開ける。

上糸と下糸の間にペラ〈へら〉を入れて、手前に寄せ締める。

ペラ〈へら〉を立て開口を大きくし、左から緯糸を入れる。

イトゥマムニ〈布巻取棒〉にイシトムㇱニ〈腰当て布〉の紐を巻き付け、腰に固定する。経《たて》糸・緯《よこ》糸に水を含ませておく。（糸に無理がかからないようにする為）身体を前後させ経糸を緩めたり張ったりしながら織り進めて行く。

ペラ〈へら〉をペカウンニ〈綜絖棒〉の前側の上糸と下糸の間に入れ替え、ペラ〈へら〉を両手で手前に寄せて左右均等に一定の力を入れ緯糸を締める。

ペラ〈へら〉を立て開口を大きくし、右から緯糸を入れる。

◆アハルシ（樹皮衣）が出来るまで

左側の端（耳）の具合を確かめながら左側で押さえ軽く緯糸を手前に引き寄せる。ペラ〈へら〉を倒し手前に寄せ、軽く叩いて緯糸を締める。

ペラ〈へら〉を抜き経糸の上下を入れ替える。身体を後ろに反り気味にすると、上にあった糸が下になる。ペラ〈へら〉をペカウンニ〈綜絖棒〉の向こう側に立て入れ、開口を大きくする。

右側の端（耳）の具合を確かめながら右手で押さえ軽く緯糸を手前に引き寄せる。

ペラ〈へら〉を倒し手前に寄せ、軽く叩いて緯糸を締める。

写真24からの繰り返し。

裁衣

〈布を裁つ〉

34

幅約36.5㎝、長さ約8mのとアッㇳゥシの反物の完成。

35

アッㇳゥシにアイロンをかける。

36

袖口18㎝、袖付け46㎝のもじり袖を仕立てる。

39

身頃の仕立ては2m34㎝の布を二枚裁断する。117㎝、小衿12㎝。

40

小衿を作るために布を真ん中で折り、物差しで測り12㎝の所に待ち針で止める。

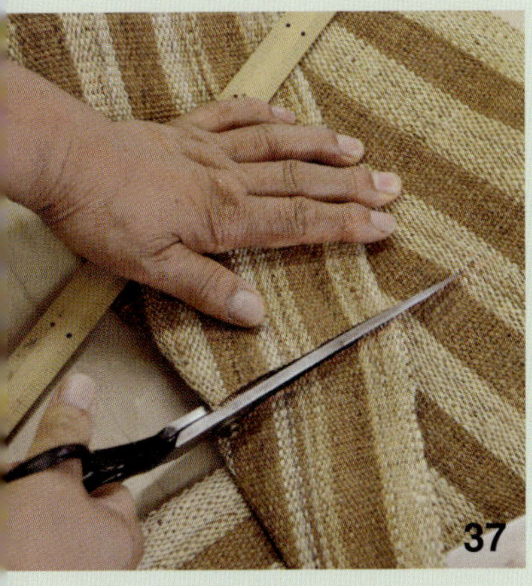

袖下と袖口と線を合わせて、余分な布を切り落とす。

もじり袖の寸法は72㎝。

ハサミで布を切る。

背縫いは裏から左右の布を合わせて、縫い代を6㎜とり、半返し縫いをする。

背縫いの完成。

縫

〈袖を縫う〉

同色の糸を使い袖を縫う。

もじり袖の縫い代の裁ち切り部分のほつれ止めをするため布を置き、並み縫いで縫う。

〈もじり袖に切り伏せする〉

もじり袖を裏にして幅10cmの布を袖口に待ち針で止めておく。

袖のカケ布を並み縫いをする。表にして袖口をからみ縫いで縫う。

◆アハルシ（樹皮衣）が出来るまで

45

縫い代に布を被せ、待ち針で止める。

46

からみ縫いで縫う。

47

もじり袖の完成（裏）。

50

袖下を合わせて待ち
針で止める。

51

からみ縫いをする。

52

袖口の黒布（ビロード）をつけて
右袖の完成。

〈前立を縫う〉

53

裁断されたアットゥシの樹皮の縁がほつれないように裏側に切り伏せ布を置く。

54

前身頃の裏に切り伏せ布を待ち針で止める。

58

身頃のすそ裏に切り伏せ布を置き、待ち針で止める。

裾から1.5cmの縫い代をとり、並み縫いをする。

59

◆アハルシ（樹皮衣）が出来るまで

55

縫い代を物差しで測り、チャコペンで印をつけ並み縫いをする。

56

切り伏せ布を表に返して、物差しで測りながら待ち針で止める。

57

からみ縫いをする。

切り伏せ布を身頃の表に返して、仕付け糸で止める。

60

61

からみ縫いをする。

前たて紋様部の布を
かける。

前たての布を表にかえし
布幅を確認する。

前たてを仕付け糸で
止める。

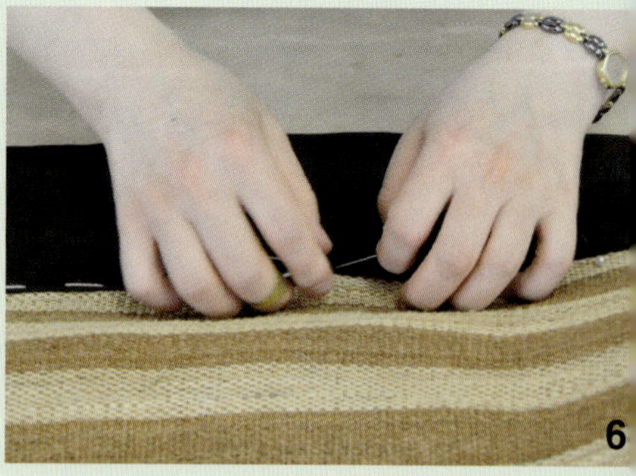

上前紋様部の布（ビロードの布）。
裏側にビロードの布を置き、並み縫いを
する。

表にかえして衿下周りを待ち針
で止め、仕付け糸で止める。

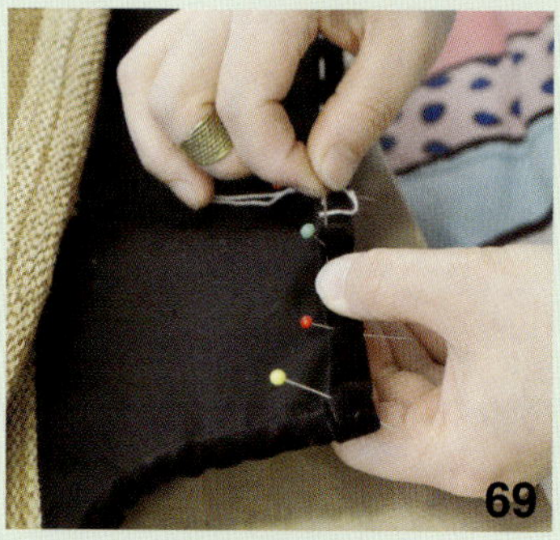

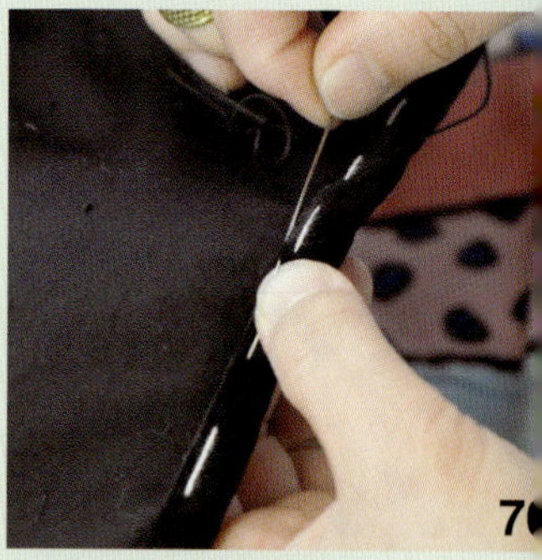

端をからみ縫いをする。

◆アハルシ（樹皮衣）が出来るまで

前たてを待ち針で止め、端を縫う。

からみ縫いをする。

端を並み縫いをする。

衿下に別布（ビロード）の布を掛けて、からみ縫いをする。

前衿周りの完成図（裏）。

刺

〈切伏刺しゅう〉

　黒色木綿布の切伏（帯状の布を折り、たたみ、曲げる）紋様を縫う。からみ縫いやイカラリで刺し、色糸で黒色木綿布の真ん中にオホ（鎖縫い）刺す。また、切り伏せ布の角には「つの」をイカラリで刺す。下書きした下絵の上にテープ状の黒色木綿布を道行くように置き、角は布を切らず直角に折って縫う。（オホツリ（ホホヤンケ）が上手に表現されている）

黒色木綿布を絵柄に合わせて、切伏紋様を待ち針で止める。

〈すそ部分の刺しゅう〉

布に下絵を描き、色糸でオホ（鎖縫い）を刺す。見えづらくなった線は、チャコペンで描き足しながら縫い進める。

◆アハルシ（樹皮衣）が出来るまで

からみ縫いをする。

刺しゅうの終わりは、針を裏に出して糸玉を作らずに、半返しで止める。

〈パラオホ（幅広い鎖縫い）チェパレチ〉

樺太地方は絹の糸が大陸から入手できたのでしょうか、絹糸が多く使われています。
樺太地方にある植物の花や葉と実を表現していると思います。

鎖縫いをした紋様の中をパラオホで刺す。花びらのように美しく仕上げる。

〈袖を付ける〉

袖と身頃の出来上がり。身頃は裏返しにして、袖は表にして襟から中にいれて縫い代を合わせる。

〈襟を付ける〉

ビロード布で襟を仕立て、衿上がりに印を入れる。

衿上がりをハサミで切り、芯（接着芯）を入れる。

◆アハルシ(樹皮衣)が出来るまで

縫い代を合わせて待ち針で止める。

縫い代を1㎝取り、同色の木綿糸で並み縫いをする。

袖を付け終わり、着物を表にして脇の開いている所を同色の木綿糸で縫う。

脇を2回から3回糸を回してほつれ無いように縫う。

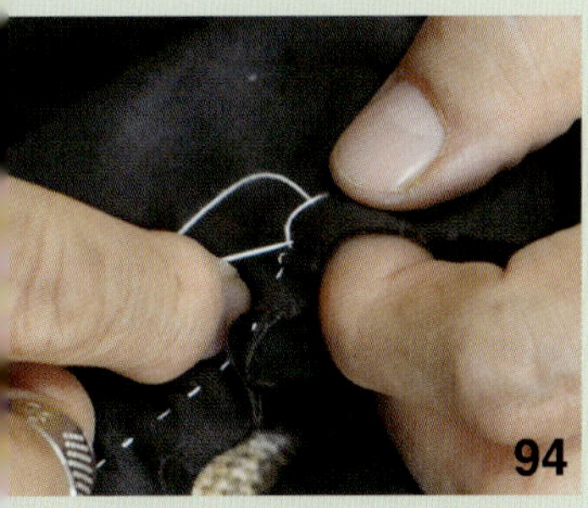

襟先を並み縫いをする。

裏を表に返した縁を縫う。

身頃に襟を付ける。

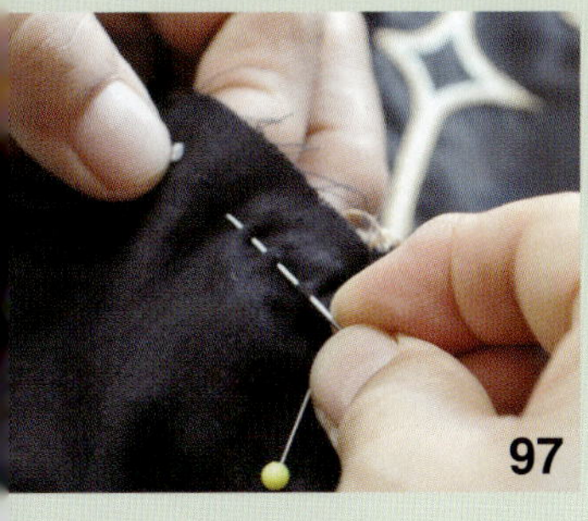

並み縫いで襟を付ける。

襟付けが完了したら糸を裏に出して、半返しで止め糸玉を作らず、ハサミで切る。

襟の出来上がり。

●コラム

小川早苗コレクション

アイヌ民族の誇りを探して……

保育園児の子どもが、アイヌ民族の体質的特徴をからかわれ、足にごみがついていると花嫁さんになれない。幼女は大きくなったら花嫁さんになるのが夢でした。お友達のお母さんは養護の先生です。お友達と相談して毎日お風呂で洗いました。汚れは消えません。消えない体毛と一夏闘い、そしてあきらめていくのです。

私の住まいの近くで、北海道民間教育研究会がありました。誘われて参加しました。そこで阿寒湖から参加の戸塚美波子さんに会い、子どものお話をしたら我が家に泊まることになりました。娘を励ますお姉さん、お姉さんはとても美人でした。娘はお姉さんと一つのお布団に寝て、ひとときもお姉さんから離れない。

その後、旭川の川村アイヌ記念館を見学に連れて行きました。「帰属性」を持たせたかったのですが、入館と同時に見学者に向かって「皆さんここに本当のアイヌの方がいます。この人たちのことをアイヌ民族といいます。」館の解説と同時に見学者の目は、かわいい娘に関心が寄せられ、ここでも子どもは心に深い傷を受けました。私は入館料を払って入ったのだから静かにしてほしいと、小さな声で抗議をしました。

それから美幌峠に行って観光資源になっているエカシやフチに会いました。ここでは、アイヌ民族の家族を見て、おばあちゃんは両手を広げて子どもを抱きしめ、口にはアイスクリームをほおばらせ、ご自分の孫を思い出しているのか何時までも子どもと遊んでくれました。

阿寒湖へ向かいました。着いたところで、偶然戸塚美波子お姉ちゃんに会いました。おりんご箱の上にペンダントや小さな小物を置いて売っていました。美波子姉ちゃんもアイヌ民族だとわかった子どもは、自分もアイヌ民族であると子ども心に気付くのですね。大きな涙をポタンポタンと落として、「浦河のおばあちゃん家へ帰ろう。遊覧船もアイスクリームも要らないから、早くおばあちゃん家へ。」6時間かけて祖母の元に戻りました。母は仏壇の扉を開いて待っていてくれました。サアサアとせかされて、私はご先祖さんの仏壇の前で手を合わせました。二人の子どもは、床の間の前にある火鉢にたくさん立てられた小さな山にも見えるイナウ（木で削った御幣のような物）へすり寄って、手を合わせていました。私は辛くもあり驚きを隠せませんでした。

老いた母は、「お前を苦労して和人に育てたのに、何で今さらアイヌに戻ることないべさ。」と泣いて話しました。子どもと一緒に闘った差別の実態は、札幌学院大学出版『北海道と少数民族』をお読みください。私はアイヌ民族としての自信とほこりを確かなものにしようと、阿寒湖からの帰りに母の家を訪れ、大切にしまってあった母の死出の装束をお茶箱の底に見つけ、こっそりと持ち出しました。私の行動はすでに母に見すかされ、後を追うように母はカネ指、クジラ指を娘の箪笥に入れて、祖母の握り鋏とを持参してやって来ました。そして新聞紙を使って紋様の切り方や裁ち方を一つ一つ私に教えたのでした。

私が初めて作ったチカㇻカㇻペをシャクシャイン祭に持参して着ると、折よく同席していた三石ホロケコタンのウナㇻペ（おばさん）が感動し、私を褒めそやしてくれたものでした。

それに打ち込む私には、祖先が私を導き、手仕事を通じてアイヌ民族としてのほこりと自信が泉のように湧くのを強く感じ、まさに目からウロコが取れたような快感にひたったものでした。

Introduction of storing goods

小川早苗
所蔵品のご紹介

着物

カパㇻアミㇷ゚
〈白布切抜紋衣〉

カパㇻアミㇷ゚
〈白布切抜紋衣〉

カパㇻアミㇷ゚
〈白布切抜紋衣〉

チンヂリ
〈刺しゅう衣〉

テタラペ
〈白地の着物（樺太）〉

テタラペ
〈白地の着物（樺太）〉

アットゥシ
〈樹皮衣〉

イソルシ
〈獣皮衣〉

チンヂリ
〈刺しゅう衣〉

チンヂリ
〈刺しゅう衣〉

カパラアミㇷ゚
〈白布切抜紋衣〉

カパラアミㇷ゚
〈白布切抜紋衣〉

ルウンペ
〈色裂置紋衣〉

ルウンペ
〈色裂置紋衣〉

アットゥシ
〈草皮衣〉

チェㇷ゚ウㇽ
〈魚皮衣〉

タペストリー

お部屋の装飾品（家のお守り）

カハカイ　アㇱカイ

ポンチカップ

カイクマサン（海）

トウイメルクル・レイメルクル＝愛の輝き

アイヌ　モㇱㇼ＝人間が静かに暮らす

ウテカンパアン　ロー＝手をつなごう

シプッパプッパ＝胎動

カパㇻアミㇷ゚　モレウ＝もんようが続く

コタンコㇿカムイ＝村を守る神の鳥

ソイェンパ・アイ

ソイェンパ・アイ＝外へ向く矢

アペフチカムイ＝燃える命の灯

ベッ＝川の中州にも似て

カムイ　クチャサンケ＝狩猟（神様が刀を下ろした場所）

モシㇼコㇿカムイ＝大地を持つ神

エトゥイ　ポ＝大地に芽生える

帽子（コンチ）

どの帽子もわたが入っていて、さしこなのに紋様にさした命を守る

コンチ＝北海道アイヌの狩猟用の帽子

コンチ＝
夏の暑い日、外で被る

イカムハッカ＝千島樺太地方の
アイヌ民族の海漁の帽子

子どものコンチ＝冬用の子どもの帽子

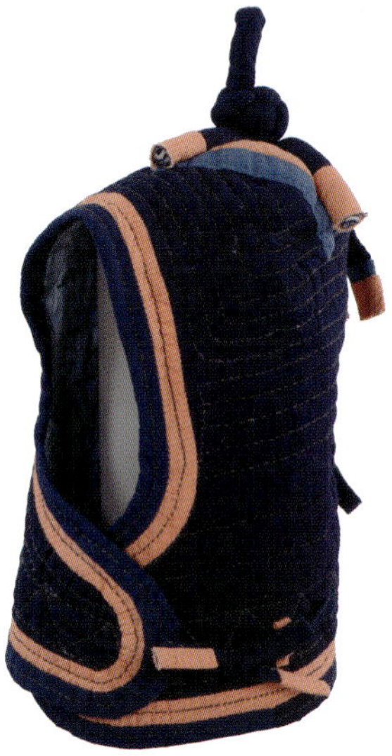

アタンプサ＝千島樺太地方の海漁の
帽子（あご下から）めくり上げられる

メノコ　コンチ＝アイヌ女性の帽子
（布のない時代裏はアットゥシ）

ウムラウフ＝木綿製の防寒用帽子。全体が厚手（綿入れ）キルティング状で、内側に耳や頬を覆うための花柄の木綿布をつける。綿入れ木綿の帯締めのような紐を作り、頭上から四方に15㎝位たらし絡み付ける

アタンプサ＝木綿の
綿入れ（キルティング）。
頭上には綿入れ房結
の四方に房を下げる

千島樺太地方は冬の厳寒期でも海漁をします。
波しぶきや自然の荒れ狂う日も体を温める防寒着。
命を護る道具です。
海漁で濡れた帽子を乾かす為にアタンプサ飾りを
つけたのではないでしょうか。

マタンプㇱ（額飾帯）

マタンプㇱ＝旭川地方の紋様

マタンプㇱ＝平取地方の紋様

マタンプㇱ＝杉村京子フチの紋様

マタンプㇱ＝博物館収蔵の紋様

マタンプㇱ＝ワッカウエンベツのフチの作

マタンプㇱ＝日高地方の紋様

マタンプㇱ＝三上マリ子さんからの伝承

マタンプㇱ＝東京国立博物館収蔵

民具いろいろ

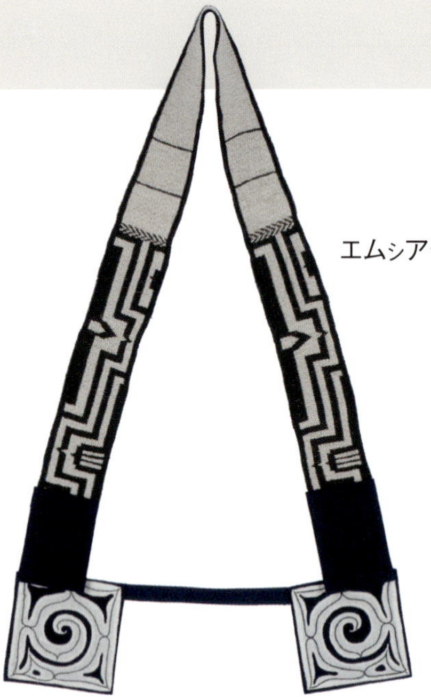

エムㇱアッ＝刀を下げる帯

エムㇱアッ＝刀を下げる帯
テッパエカシが大切に使っていた

色丹アイヌの帯＝チェップルクッ（魚皮衣の帯）

色丹アイヌの帯

色丹アイヌの帯

タンビ（足袋）　北海道アイヌ

チェㇷ゚ケリ＝魚皮の靴
（靴のなか敷き）
ケロルンペを入れる（枯れ草の丈夫なもの）

ユㇰケリ＝鹿皮のクツ
靴中に履く靴下＝ケロルンペ

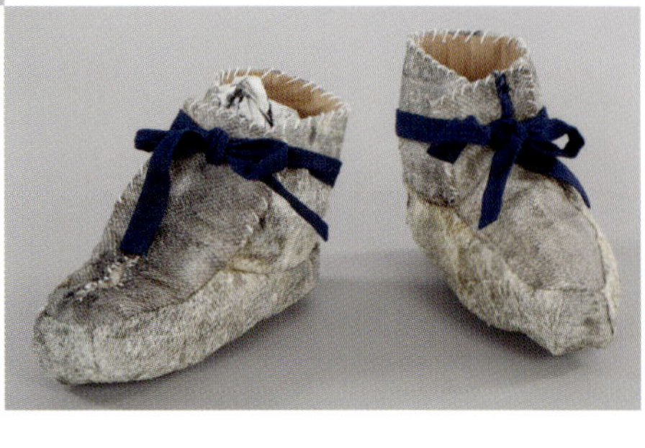

アイヌ女性のモウルと現代服

モウル＝日常着、おなかに赤ちゃんが居ても背中におんぶしても着られる巻頭衣

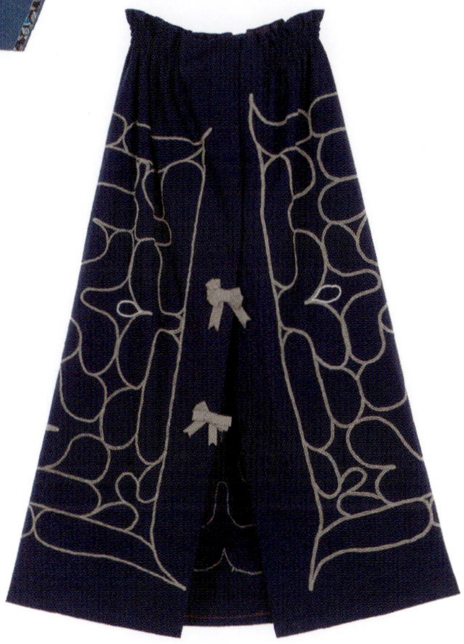

アイヌ紋様スカート

短身ドレス。ジーパンの上にも着られてアイヌ紋様が静かに咲いている。体の端から魔物が入らないように刺しゅうをしている

サハリン地方の子どものドレス

女性用上着。からだの端から魔物が入らないように刺しゅうをした

モウル＝三石のテルコフチが着ていたモウル

モウル＝アイヌ女性の日常着。妊婦服にも授乳時も利用できる

アイヌ紋様ドレス。冷房除けにもなり便利

現代衣服

女性用ベストとスカート
アイヌ紋様入り

キュロットスカートと上着
アイヌ紋様入り

子ども用ベストとパンツ
ワンポイント刺しゅう入り

カパㇻアミㇷ゚紋様の木綿のドレス

アイヌ紋様入り　イブニングドレス

静内地方の紋様を施した木綿のドレス

サラニㇷ゚とバッグ

サラニㇷ゚＝貝沢ハギフチがテセしたもの

サラニㇷ゚＝杉村京子フチのテセしたサラニㇷ゚

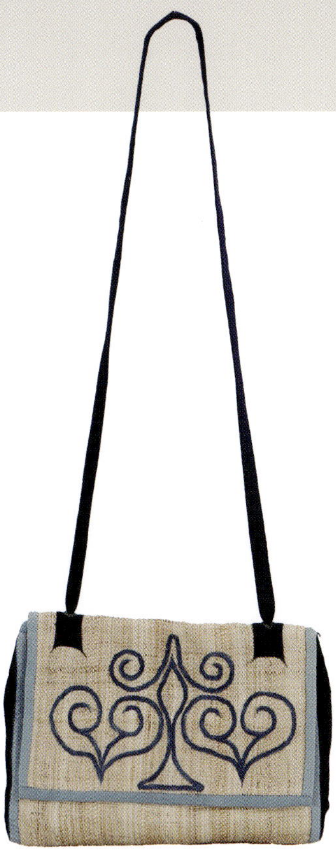

カロㇷ゚＝男性が山猟に行くとき大切な物を入れるカバン

エムㇱアッ紋様のマチつきカバン

アイヌ紋様入りカバン

エムㇱアッの紋様を幅を拡大して男性のおしゃれなバッグに仕立てる

バッグいろいろ

ウイルタ紋様のバッグ

アイヌ紋様のバッグ

アイヌ紋様のバッグ

ウイルタ紋様のバッグ

アイヌ紋様のバッグ

ウイルタ紋様のバッグ

アイヌ紋様のバッグ

アイヌ紋様のバッグ

アイヌ紋様のバッグ

アイヌ紋様のリュックサック

ネクタイと小物いろいろ

アイヌ紋様ネクタイ

アイヌ紋様ネクタイ

アイヌ紋様ネクタイ

ウイルタ紋様

ウイルタ紋様＝北川アイ子さん作

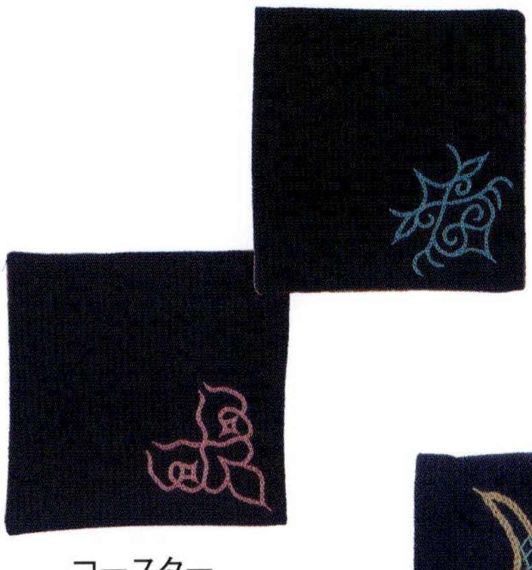

コースター
アイヌ紋様入り

アットゥシポーチ

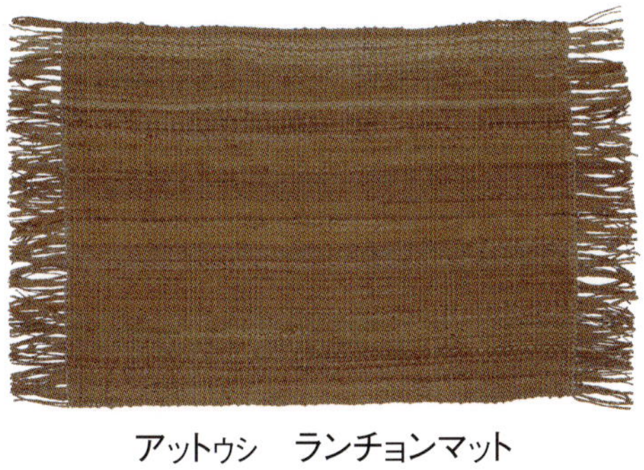

アットゥシ　ランチョンマット

アイヌ紋様
ティッシュペーパーケース

カロプ
大切なものを入れる巾着

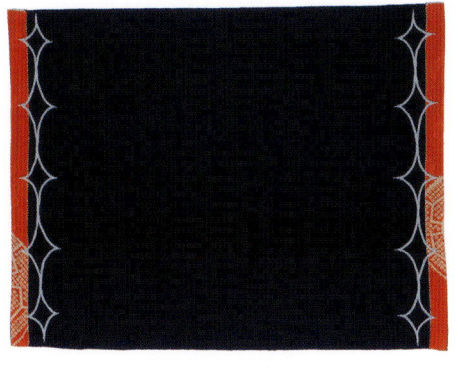

ランチョンマット

世界各国で先住民族を大切に共存してきたことを誇らかにしめすポストカードが、売られています。

私たちも日本における先住民族として、アイヌ民族伝統紋様を国内外へ広めたいと考えています。

この紋様から読み取れる生活の知恵、狩猟採集の民、今を生きるアイヌ民族は強制同化政策にも消えることなく、今を生きるアイヌ民族紋様です。

ご家族の誕生祝に、旅のお土産に、旅の思い出に、多民族が共存し、社会の豊かさを広める時であると考え、チカㇻカㇻペ紋様の絵はがきを作りました。

ぜひ、お買い上げをお待ちしています。

2009年12月20日

アイヌ文化伝承の会　手づくりウタラ

小川早苗

「チカルカルペ紋様 ―我・ら・作・る・も・の―」
6枚組／もんよう・きもの編付〈定価600円〉

おわりに

私の育った村は、日高三石町ホロケコタンでした。アイヌ民族のチセで暮らしていました。ミツバや、タマビロ、ゼンマイ、セリ、コゴミなどの野の菜を摘んで、火にかけた鉄鍋に入れて朝餉の支度をすると、なぜか鶏も猫も犬もせわしなく走り回るコタンの朝の風景が思い出されます。チセの軒先には大きいチキサニ（ハルニレ）が天にも届くように枝を伸ばして、歴史の語り部のようにコタンを見降ろしていました。チキサニの根元にはテッパエカシ（曾祖父）が腰掛けて頬杖をついて座っていました。寂しくなるとエカシを探しに行き、必ず会えるので安心しました。幼児にとってチキサニの木は父でもあり母でもある優しい心になれる場所でした。

テッパエカシとコタンの悪がきどもは、野原の散歩に行きます。エカシが先頭でした。子どもたちも腰を曲げてエカシ歩きをします。そんな時、「踏むな、踏むな、折るな、折るな、取るな、取るな」と日本語ではあるけれど、独特の節回しで小さな草を踏み潰すなよ、と教えます。

三本のチキサニが聳え立つコタン、ホロケコタンの春の始まり、ヌササン（祭壇）にそれぞれの家から供え物を持ち寄り、ハルネㇷ゚［煙の出るトイタタンパク（作付けタバコ）、オオハナウド、ザゼンソウ、ピヤパ（ヒエ）などの植物］の煙に、イノンノイタㇰ（祈りの言葉）を乗せてコタンの隅々まで声が響きます。

マツネチキサニ（雌チキサニ）について、幌村みねフチのお話。「わしが嫁に来た時から、この大きな木は枝を伸ばしていたものだ。わしが一人のとき、倒れないでほしいといつも思っていた。その思いが通じたのか斜めに家をはずして、静かに寝るように倒れたものだ。」と話してくださいました。マツネチキサニ「風倒木は身を横たえたふくよかな裸婦像にもみえる」

○ チノミシㇼ　　　　　神聖な場所　我ら祭る山。
○ ハルエカムイノミ　　供物を捧げて病気神に祈る。
　　　　　　　　　　　あちらこちらで病気が流行したと聞き、恐ろしいので供物をもらい病気の神へあげた。
○ ハルチャㇻパ　　　　病気に対するおまじない。

ふくよかな裸婦像のようにいつも横になっている木のそばで、春の始まりのカムイノミをコタンみんなの物言わぬ行動とでも言いましょうか行われたものです。

川岸近くにはピンネチキサニ（雄チキサニ）。壊れた祭具を納めた場所。トンネルのような洞（うろ）があってそこに納めて（イワㇰテ）いました。かくれんぼをして遊んだ記憶があります。私の家の前にあるペウレチキサニ（若いチキサニ）が三本目のチキサニです。

戦後の食糧不足時代でしたが、コタンでは人々が集まりカムイノミ（神への祈り）の儀式が厳かに執り行われて、子どもたちは祭具を運び、私はエカシのチカㇻカㇻペを運んで肩にそっと掛けてあげる役割をもらい、みんなで儀式の準備をしました。カムイノミが始まるとヌササン（祭壇の前）の大人の後ろに足音を立てないように静かに子どもたちが座り、エカシやアチャポ（長老やおじさん）の着るチカㇻカㇻペの背の紋様はそれぞれ母方の印であり、子どもたちは紋様の違いで、お手伝いに来ている人たちの中から、自分の身内を見つけて安心しました。葬儀のときは、エカシやアチャポが「迷わず父の待つ国へ、母の待つ国へ」行かれますようにと祈り、決められた役割を静かに滞りなく流れるように果たし、天界に旅立つモシㇼコホッパ（この世を去る）のお別れをしました。お別れの食事は、混ぜご飯やうどん、あんころ餅、シトンキ（籾から米を搗き粉の団子を作る）でした。お別れの食事は薄皮に包んで配られました。

エカシの祈り言葉が続くとき、チカㇻカㇻペの紋様が怒る、笑う、そして凛々しくも見える。チカㇻカㇻペは儀礼用の衣服で、身を護る衣、儀礼の衣、慶弔両方に使いました。チカㇻカㇻペは女が護り受け継ぐ衣だと母カタコは私たち姉妹に厳しく教えました。私はアイヌ民族の葬送の儀式に強く心が惹かれるようになりました。衣の動きの中に光と影を見る。葬礼の白黒の着物が、フチが動くと紋様も動き、キラキラと輝いて私の心に迫るアイヌ民族の紋様でした。

私の夫に向かって、チカㇻカㇻペを作る娘たちを護ってほしい、カムイノミを覚えて神々に感謝の言葉を伝えてほしいと手をついて頼む母がありました。

葛野辰次郎エカシの話は、「ヌプリカムイ（山の神様）はおしゃれな神で一年に四回衣替えをして、春は桜模様の着物、夏は深緑の着物、秋は紅葉の着物、冬は雪景色の着物を着て人間を楽しませてくれる」。アイヌ紋様の刺しゅうをする時、野の花と葉・春夏秋冬・空の色・稲妻・夕焼けの茜色・秋の陽、祖先の眠るお墓に行き、ヤマブドウ・コクワ・マタタビが絡んだ小山にヒラヒラと舞い落ちる紅葉した木の葉を見て、チカㇻカㇻペ紋様の配色の参考にしました。自然界から教えられた配色は、春夏秋冬の色でした。

近くに住む幌村春太郎おじさんにこの話をしたら、「ヤマブドウ・コクワ・マタタビは一緒には生えない物だ。お前を護っている先祖が見せたのだろう」と言い、村から離れていても村には遠慮しないで戻ってきたらお墓に行きなさいと言われました。

謝　辞

私がアイヌ民族として生きる道をご指導いただいたのは、全てが和人のアイヌ文化の学者・研究者でした。今振り返って学者・研究者の方たちに感謝の心を伝えなければいけません。深く御礼申し上げます。そしてアイヌ民族の古老の皆さんイヤイライケレ、アイヌ語もイカララカラもアイヌ料理もフチたちがアコロプリを家族や社会に遠慮なくできるまでの間、学者の皆さんに思い出させていただく、そんな時間をすごして、私は先住アイヌ民族ですと、いえるようになりました。そしてとても長い時間を経て今日に至りました。

〈お世話いただいた方〉

安達尚夫・俊子 阿部一司 青木光恵 青木峰子 秋野茂樹 アットゥイ 井上勝生 井上研一郎 石井美香 石川直章 伊沢コヤエ 石谷タケ子 右代啓視 内田祐一 浦川タレ 浦川リウ 浦川きねこ 上田トシ 上野千春 榎森　進 江口　要 大塚和義 小田博志 奥田統己 大谷洋一 沖津せい子 織田ステノ 大塚高子 小川正人 岡田路明 大城ミサヲ 小野有吾 小川隆吉・智志・基・エイジ 加藤多一 加藤博文 貝澤和明 かとうまちこ 加納　沖 萱野れい子 川村則子 加納米蔵 貝沢ハギ 狩野義美 狩野照吉 貝澤　正 貝澤百合子 木村　剛 北原次郎太 北原きよ子 木村八重子 木村マサエ 菊池カヨ 切替英雄 久家道子 黒木　啓 黒飛伊織 クライナー博士 葛野守市 古原敏弘 紺谷紀男 今野恒子 小山洋子 小谷凱宣 佐々木利和 佐々木史郎 佐藤知己 佐々木亨 澤井正敏 佐藤幸雄 笹木義友 鹿田川見 新藤貴美子 清水祐二 城野口百合子 柴田こずえ 島崎直美 白沢ナベ 本田俊和 杉村京子 鈴木領馬 鈴木由信 鈴木ヨチ 瀬川拓郎 関　秀志 相馬久子 谷本晃久 田中忠三郎 竹内　渉 高橋　規 谷本一之 田中礼子 高山米子 高木喜久恵 滝沢　正 竹川和子 竹内明美 多原良子 手塚　薫 出利葉浩司 遠山サキ 土肥正夫 豊岡喜一郎 難波琢雄 中西邦明 中本ムツ子 中川　裕 野口和子 野本正博 原田澄江 原田公久枝 長谷部一弘 長谷川修 長谷川由希 花崎皐平 早坂ユカ 萩生田啓子 萩中美枝 林昇太郎 林　恵 平野正美 広瀬健一郎 藤村久和 本田優子 幌村運八 幌村シゲノ 幌村春雄 幌村たつ子 幌村テルコ 幌村　守 幌村ハツエ 幌村 峰本多勝一 前田宏子 松平智子 松田平太郎 丸子美記子 三上マリ子 三島淳子 水野孝昭 水野貴子 宮田初枝 村辺ミナ 村木美幸 門野トサ 森竹竹市 八幡智子 矢崎龍雄 山岸由史子 山口美和子 山田伸一 山本多助 山本玉樹 山本栄子 山崎幸治 山根たえ子 結城志保 吉岡喜美子 吉田ルイ子 吉田利之 吉原秀喜 りちせ りなん 鷲谷サト 渡辺幸子

〈ご協力いただいた博物館・関係施設〉

北海道開拓記念館 北海道立北方民族博物館 北海道アイヌ協会資料室 苫小牧市博物館 財団法人アイヌ民族博物館 アイヌ総合博物館 函館市北方民族資料館 市立函館博物館 旭川市博物館 帯広百年記念館 釧路市立博物館 ジャツカドフニ 網走市立郷土博物館 斜里町立知床博物館 浦河町立郷土博物館 新ひだか町三石郷土館 新ひだか町静内郷土館 萱野茂二風谷アイヌ資料館 紋別市立博物館 八雲町郷土資料館 青森市歴史民俗展示館稽古館 青森県立郷土館 三内丸山遺跡展示室 日本民藝館 東京国立博物館 国立民族学博物館 松浦武四郎記念館 京都国立博物館 京都文化博物館 天理大学附属天理参考館 大阪人権博物館 浜益村郷土資料館 増毛町総合交流促進施設 元陣屋 平取町立二風谷アイヌ文化博物館 小樽市総合博物館 小樽市総合博物館運河館 鰊御殿 旧余市福原漁場 余市水産博物館 川村カ子トアイヌ記念館

同じ博物館へ何度も通わせていただきました。ご迷惑をおかけしています。これからもまたお助けくださいませ。

2008年10月5日におばあちゃんのもとへ旅立った娘 純子にこの本を捧げます。読んで、見て、楽しんでください。 母 早苗

◆参考文献

ひと　もの　こころ
アイヌ衣服調査報告書
萱野茂「アイヌ語辞典」
華麗なアイヌ衣裳の世界　縫う（マニュアル）
海を渡ったアイヌの工芸
鳥居龍蔵のみた北方
民族樺太アイヌ民族史
樺太アイヌの伝統文化
アイヌ民族博物館研究報告（5）
ラッコとがらす玉
装いのアイヌ文化誌
アイヌの衣服文化
北太平洋の先住民交易と工芸
ロシア民族学博物館アイヌ資料展
アイヌの紋様
アイヌ紋様を曾祖母から継いで五代
北の紋様
テケカラペ―女の技
アイヌ紋様の美
アイヌの美
静内地方のアイヌ衣服
アイヌモシリ
ロシア民俗学博物館所蔵アイヌ資料目録
アイヌ衣服文化
北の民アイヌの世界
旭川市博物館所蔵品目録
アイヌ文化誌ノート
織る（マニュアル）樹皮衣
アイヌの衣装

◆小川早苗略歴

1940年7月20日	北海道三石町生
1981年6月	アイヌ文化伝承の会 手づくりウタラ主宰
1981年 〜1983年1月	札幌グランドホテルなどで10回の展示会開催
1983年 〜1989年6月	毎年東京都で展示会開催・大阪、京都、群馬、高崎展示会開催
1985年3月	エテケカンパの会「アイヌの子供たちとともに学び共に歩む会」会長
1988年10月	絵ハガキ第一弾『チカルカルペ』発行
1990年6月	アメリカ・カナダ展示会開催
1996年7月5日	『アイヌ紋様を曾祖母から継いで五代』小川早苗・かとうまちこ共著
1999年4月	札幌市環境保全アドバイザー
2002年2月	北海道アイヌ民芸品コンクール　知事賞受賞
	図録・絵ハガキ・展覧会
2002年8月28日	『アイヌ民族もんよう　きり絵のせかい』エテケカンパの会　小川早苗監修
2002年12月	ドイツで展示会開催
2002年12月	東京都銀座で展示会開催
2004年4月	札幌ウポポ保存会会長
2005年9月	小樽市アイヌ伝統工芸展
2006年8月	小樽市アイヌ伝統工芸展
2007年9月	小樽市アイヌ伝統工芸展
2008年8月	アイヌもんよう展　ギャラリーマリヤ
2008年9月	小樽市立総合博物館特別企画展
2009年1月	絵ハガキ第二弾『チカルカルペ』発行
2009年5月	アメリカ・ポーランド展示会開催
2009年7月	アイヌ女性のテケカラペ展開催
2010年4月	アイヌ民族もんよう・染織展
2020年2月28日	「伝えたい アイヌ民族の紋様」出版

住　所／〒003-0834　札幌市白石区北郷4条4丁目11-1　TEL 011-873-1340

アイヌ民族もんよう集　—刺しゅうの刺し方・裁ち方の世界—

執　筆／小川早苗
企　画／小川早苗・加藤町子・加藤里美・森内久美子・小川純子
写　真／爲岡進
装　丁／佐々木美紀

発　行　アイヌ文化伝承の会 手づくりウタラ 小川早苗
発　売　(有)かりん舎
〒062-0933　札幌市豊平区平岸3条9丁目2-5-801
TEL 011-816-1901　FAX 011-816-1903
発行日　第5刷　令和5年5月1日
印　刷　株式会社北海道機関紙印刷所

ISBN 978-4-902591-11-8